INTRODUCTION À L'HISTOIRE DES SPORTS AU QUÉBEC
de Donald Guay
est le cent quatre-vingt-onzième ouvrage
publié chez
VLB ÉDITEUR
et le
troisième de la collection
«Études québécoises».

INTRODUCTION À L'HISTOIRE DES SPORTS AU QUÉBEC

Donald Guay

Introduction à l'histoire des sports au Québec

vlb éditeur

VLB ÉDITEUR
4665, rue Berri
Montréal, Québec
H2J 2R6
Tél.: (514) 524.2019

Maquette de la couverture:
Mario Leclerc

Photocomposition:
Atelier LHR

Distribution en librairies et dans les tabagies:
AGENCE DE DISTRIBUTION POPULAIRE
955, rue Amherst
Montréal, Québec
H2L 3K4
Tél. à Montréal: 523.1182
        de l'extérieur: 1.800.361.4806

Données de catalogage avant publication (Canada)

Guay, Donald, 1934-
    Introduction à l'histoire des sports au Québec
    (Collection Études québécoises)
    2-89005-232-X
    1. Sports — Québec (Province) — Histoire — 19e siècle. I. Titre.

GV585.3.Q8G82 1987   796'.09714   C86-096111-7

©VLB ÉDITEUR & Donald Guay, 1987
Dépôt légal — 4e trimestre 1987
Bibliothèque nationale du Québec
ISBN 2-89005-232-X

Introduction

Introduction à l'histoire des sports au Québec. Sous ce titre sont présentés les résultats partiels de recherches historiques portant sur treize sports qui ont pénétré au sein de la société québécoise et qui ont été plus ou moins pratiqués par des Québécois ou des Québécoises au siècle dernier. Pour bien limiter le sujet traité, il convient d'abord de préciser ce qu'il faut entendre par les termes «sport» et «Québécois».

Québécois! L'expression est récente, elle date de la révolution tranquille, c'est-à-dire du début des années 1960. Si l'expression est relativement nouvelle, par contre la réalité qu'elle recoupe s'échelonne sur plus de trois siècles et s'inscrit dans un continuum culturel, malgré les changements d'identification nominale. Par Québécois, je désigne donc ceux qui sont porteurs de la culture nommée canadienne jusqu'à l'échec des Patriotes de 1837-1838, puis canadienne-française jusqu'à la révolution tranquille. Cette culture est essentiellement franco-catholique. Pour les Canadiens, ensuite les Canadiens français, les anglo-protestants sont des étrangers qui représentent un danger pour leur culture, voire leur avenir.

Cette précision est importante à plus d'un égard. D'abord il s'agit d'une réalité historique qu'il faut respecter. Deuxièmement, l'un des buts de la présente recherche est justement de vérifier l'intégration du sport, phénomène culturel étranger, au sein du système culturel québécois. Les anglophones du XIXe siècle, qu'ils soient de Québec, de Montréal, de Trois-Rivières ou d'ailleurs au Québec, ne font pas partie de l'univers culturel québécois;

ils ont leur univers culturel propre. Ils ne sont pas des Québécois!

Quant au terme sport, il est compris ici dans le sens que je lui ai déjà accordé dans un précédent ouvrage[1]: il s'agit de l'activité physique compétitive et amusante, pratiquée selon des règles écrites, et conformément à l'esprit sportif en vue d'un enjeu. Sans vouloir m'étendre sur cette définition, ce qui sera fait dans un prochain ouvrage, disons qu'il faut que les six indicateurs, ou caractères, soient présents simultanément pour qu'on puisse parler de sport. Cette définition univoque du sport permet de l'identifier, de l'isoler, de le connaître et de le reconnaître. De cette façon, nous sommes assurés de toujours être en présence du même objet d'étude.

Comment se justifie mon choix des sports retenus pour le présent ouvrage? J'ai tout d'abord retenu les premiers sports à avoir été pratiqués dans la province de Québec, puis ceux qui ont le plus pénétré la société d'ici, ceux qui ont été les plus populaires auprès des Canadiens, des Canadiens français. Bien d'autres sports sont pratiqués dans la province de Québec, mais rares sont les Canadiens français, encore moins les Canadiennes françaises, qui s'y adonnent au XIXe siècle. C'est le cas pour le golf, le cricket, le football, le tennis, le ski, etc. Il faut attendre le début du XXe siècle pour constater une participation significative des Canadiens français à certains de ces sports.

En principe, cette recherche sur l'histoire des sports au Québec comporte six grands thèmes:

1. Origine de l'activité physique.
2. Première manifestation au Québec.
3. Évolution: les événements marquants.
4. Principaux problèmes.
5. Organisation: les institutions les plus importantes.
6. Participation des Québécois(es).

J'écris «en principe», car il n'a pas toujours été possible de trouver des données sur toutes ces questions pour chacun des sports. C'est ce qui explique que les sports étudiés sont traités de façon très inégale. On le sait, il n'existe pas encore d'archives du sport au Québec. Cette lacune suffit à elle seule à décourager maints chercheurs et elle explique, en majeure partie, l'absence d'ouvrages sur le sujet. C'est à la presse surtout qu'il faut avoir recours pour procéder à des études historiques sur les sports pratiqués au Québec au siècle dernier.

Si les journaux, comme sources, présentent des lacunes dont je suis bien conscient, par contre ils reflètent assez fidèlement la société, dans ce qu'elle est, ses perceptions et ce qu'elle veut être. Consciemment ou non, les journaux d'information générale ressemblent à leurs lecteurs autant qu'ils s'appliquent à les orienter dans leurs pensées, voire dans leurs attitudes et comportements.

Aucune autre source ne peut remplacer la presse pour suivre l'évolution des sports au sein de la société québécoise, pour connaître les opinions et les perceptions qu'a cette société de ce phénomène socio-culturel. Par contre, cette source parle peu de ce qui se passe à l'intérieur du monde sportif, c'est-à-dire de son organisation interne; elle est à peu près muette sur le financement du sport, le fonctionnement des clubs, des ligues et des associations, l'origine socio-économique des dirigeants et des membres de ces organismes, sur les propriétaires des installations (hippodrome, patinoire, bain, stade, etc.). Seule la constitution d'archives sportives permettra de réaliser des études sur ces aspects si importants pour la compréhension de ce phénomène et de ses influences sur la société et la culture québécoises.

Travailler à partir des journaux de l'époque exige, par ailleurs, une grande patience. En effet, utiliser la presse comme source suppose le dépouillement de nombreux articles portant sur toute la période que couvre l'étude. Cela signifie qu'il faut feuilleter une à une les pages des journaux pour en colliger les données pertinentes! Il s'agit d'une opération fastidieuse qui demande énormément de temps. En somme, celui qui veut entreprendre une telle étude doit d'abord constituer, de toute pièce, son propre fonds d'archives.

Pour la présente recherche, je me suis servi des journaux suivants: *Le Canadien* (1806-1893) de Québec, *La Minerve* (1826-1899), *La Presse* (1884-1900), *La Patrie* (1879-1900) de Montréal, *Le Courrier de Saint-Hyacinthe* (1853-1900) et le *Journal des Trois-Rivières* (1865-1893). De plus, de nombreuses vérifications dans d'autres journaux ont été effectuées, notamment dans

La Gazette de Québec et *Le Soleil* de Québec. Les références bibliographiques en font état. Ces journaux représentent, d'une part, les courants d'opinions les plus durables qui se manifestent au sein de la société québécoise au XIXe siècle, et, d'autre part, ils proviennent des principaux centres urbains, notamment des deux pôles démographiques de l'époque: Montréal et Québec. L'inventaire se limite aussi, volontairement, aux journaux de langue française, le but de l'étude étant de saisir la place du sport dans la société québécoise du XIXe siècle.

Bien que la presse constitue la principale source documentaire utilisée, d'autres sources (textes de loi, mémoires, brochures et livres contemporains, études, etc.) ont aussi été utilisées chaque fois que cela fut possible. Ces sources étant indiquées en références bibliographiques, au total près de sept cents, il m'est apparu superflu de produire une bibliographie de tous les textes utilisés.

La présente étude constitue, je le souligne, un premier bilan. En effet, la recherche historique sur les sports au Québec ne fait que débuter. Même s'il s'agit d'un phénomène dont l'influence sur la société et la culture québécoises a été et demeure très significative, les universitaires, notamment les historiens et les sociologues, n'ont pas encore, sauf exception, manifesté d'intérêt pour ce champ de recherche. L'indifférence s'étend d'ailleurs à tout le secteur de recherches historiques sur l'occupation du temps libre.

Cette première recherche historique sur l'intégration des sports au Québec permet de conclure qu'il s'agit essentiellement d'un phénomène culturel d'origine britannique[2] qui pénètre la société canadienne par la ville de Québec au tout début du XIXe siècle, puis se manifeste à Montréal vers les années 1820. C'est d'abord et principalement dans ces deux villes que les sports sont organisés par des anglophones et qu'ils se développent (voir tableau ci-contre). C'est à partir de ces deux centres urbains qu'ils seront, pour la plupart, diffusés à d'autres villes et villages canadiens-français avant la fin du XIXe siècle.

Les courses de chevaux, première activité sportive à se manifester, sont le fer de lance de la pénétration du sport au sein de la

société canadienne. Le fait que le sport pénètre la culture canadienne par les courses de chevaux a grandement favorisé l'acceptation de ce phénomène culturel jusque-là étranger pour les
Canadiens. C'est par elles que le sport a été introduit chez nous et
qu'il a le plus marqué notre société*.

Cette étude permet aussi de dégager deux grandes périodes
de l'histoire du sport au Québec au XIXe siècle. La première
période, de 1800 à 1850, correspond à celle de la pénétration du
sport, notamment par les courses de chevaux, la boxe, les régates, les jeux athlétiques, le cricket et la raquette. Ce moment
coïncide avec les vagues successives d'immigration massive en
provenance des îles britanniques, surtout après 1815. La résistance canadienne à l'intégration de cette innovation culturelle
étrangère, qui va à l'encontre des valeurs reconnues par la société
canadienne, est alors des plus vives. Car le sport n'est pas encore
un élément socio-culturel intégré à la réalité canadienne.

Durant la seconde moitié du XIXe siècle, le sport connaît une
période d'expansion. Les activités sportives, qui se sont amorcées
durant la première moitié du siècle, connaissent, bien sûr, un
essor remarquable, mais de nouveaux sports font également leur
apparition, notamment la crosse, le baseball, le football, le tir, le
cyclisme, le hockey, le patinage et la natation. L'élément le plus
important de cette expansion est sans aucun doute l'apparition et
le développement très rapide des sports d'équipe. Ceux-ci, parce
qu'ils mobilisent un large public, ont donné un élan décisif à la dif-
fusion des valeurs sportives dans notre société. La presse sportive
consacre ses manchettes et l'essentiel de ses colonnes aux clubs,
aux ligues, aux rencontres entre équipes, bref à l'industrie sportive.

L'expansion du sport au cours de la deuxième moitié du XIXe
siècle est reliée à l'augmentation de la population anglophone et à

---

* Depuis la préparation de cet ouvrage, une étude sur l'histoire des courses de
chevaux au Québec a été publiée chez VLB Éditeur, en 1985.

l'urbanisation. Le sport, dans son ensemble, demeure un phénomène essentiellement urbain. Les anglophones, dont la très
grande majorité habite les villes, notamment Québec et Montréal,
reconstituent leur univers culturel en lui donnant un contexte propice au sport. Le dynamisme que les anglophones manifestent
dans la formation de nombreux clubs et l'organisation des sports
témoigne, à l'évidence, de la vitalité culturelle de ces immigrants et
de leur société en formation. Éloignés de leur lieu d'origine, ils
recréent leurs institutions, leur univers socio-culturel sur le modèle
des institutions et de la culture mères.

Bien avant la fin du siècle, la presse témoigne du phénomène.
La page sportive apparaît dans les années 1880[3]. Le sport
occupe dès lors, et de façon permanente, une place importante
dans l'actualité et l'information, parce qu'il est devenu, n'en doutons pas, un des centres d'intérêt et l'une des expressions culturelles de la société canadienne-française. Il n'est qu'à voir, pour s'en
convaincre, la place qu'occupent, dans les journaux, les nouvelles
sportives, avec leur propre échelle de valeurs et leur propre
univers.

NOTES

1. GUAY, Donald. *Le sport et la société canadienne au XIXe siècle.* Québec,
1978, 105 p.

2. Des auteurs français considèrent que «le sport est né en France» et qualifient
les Anglais de «plagiaires d'outre-Manche». Ces prétentions, sans fondements
historiques, sont aussi diffusées au Québec. «Les prétendus...» *La Patrie,* 13 octobre 1888, p. 2. «Le sport est né en France». *Le Devoir,* 13 août 1918, p. 6.

3. Avant cette date, il n'y a que des nouvelles morcelées et des chroniques. Il
n'existe encore aucune étude sur l'évolution de la presse sportive au Québec.

1
Le baseball

Ce sport d'équipe[1], le plus en vogue aux États-Unis, est-il une simple adaptation américaine du cricket ou des jeux de «Rounders», «Goal Ball», «Feeder», «Round Ball» des Anglais[2] ou plutôt, comme le prétend le rédacteur des colonnes sportives du journal *Le Soleil* de Québec, en 1899[3], la version moderne d'un vieux jeu de balle pratiqué jadis en Normandie et en Bretagne? Sans vouloir trancher la question, il convient de souligner cette prétention de vouloir rattacher à la culture française un phénomène visiblement importé de nos voisins du Sud. L'impérialisme culturel français est bien vivant, mais il n'est pas le seul. En effet, les Anglais, eux, prétendent que le baseball trouve son origine en Angleterre[4].

En 1907, la Commission Mills, spécialement formée pour déterminer l'origine du baseball, conclut: 1) que le baseball est d'origine américaine; 2) que la première manifestation de ce jeu, dans sa forme sportive, a eu lieu à Cooperstown, New York, en 1839[5], grâce à l'initiative de Abner Doubleday. Un Anglais, John Arlott, considère que cette conclusion de la Commission Mills n'est pas basée sur des faits exacts et, quoi qu'en disent les Américains, le baseball serait, selon lui, d'origine britannique. Français, Anglais et Américains prétendent donc être les inventeurs du baseball. Qui a raison? N'en déplaise aux Français et aux Américains, il est aujourd'hui possible d'affirmer que ce sport, comme la plupart des sports d'ailleurs, est d'origine britannique. En effet, Lucas et Smith ont démontré que le baseball est une transformation du «rounders» que les Anglais jouaient déjà à l'époque médiévale. Les premières règles connues du baseball datent de 1744 et ont été largement diffusées dans un petit livre anglais de bienséance intitulé *A Pretty Little Pocket Book*[6].

Quoi qu'il en soit, les Américains en ont fait leur sport national et les premières manifestations de ce sport aux États-Unis dateraient des années 1830[7]. L'invention du baseball par Doubleday est donc un mythe.

Dès les années 1860, la pratique du baseball est attestée au Québec[8]. En 1865, le conseil municipal de Montréal interdit de jouer au cricket, au baseball et autres jeux dans les parcs de la ville sous peine d'une amende n'excédant pas 5$[9]. De jeunes Américains, qui viennent étudier dans les collèges classiques, introduisent le baseball dans les collèges, notamment ceux de l'Assomption et de Saint-Hyacinthe. Des Anglais de Montréal forment les premiers clubs et les premières parties doivent se disputer sur le terrain du Montreal Lacrosse Club car il n'y a pas encore de terrain conçu exclusivement pour le baseball. Durant la décennie 1870, les nouvelles sportives signalent l'existence de plusieurs clubs de baseball: Resolutes de Montréal, Athletics de Québec, Saint-Hyacinthe[10], Union Canadienne et Victoria[11], Roxton, Acton Vale et le club Napoléon d'Upton[12]. Déjà à cette époque, la petite ville de Saint-Hyacinthe se présente comme le principal centre de la pratique et de la diffusion du baseball. Son influence est perceptible non seulement dans les villages environnants, mais aussi jusqu'à Sorel et Montréal.

En 1876, le baseball fait partie du programme de la fête de la Saint-Jean-Baptiste à Saint-Hyacinthe[13]. Curieuse fête nationale que celle des Canadiens français qui peut faire bon ménage avec le sport national américain. Plus tard, à la fin du siècle, le journaliste sportif de *La Patrie* présente le club de Montréal comme étant «notre équipe», bien qu'il n'y ait aucun Canadien français dans l'équipe[14]. Le phénomène de «nos amours les Expos» de Montréal n'est donc pas nouveau. Il semble bien que le sport soit un facteur important de réduction des clivages ethniques. Pourquoi? Comment? Voilà une intéressante recherche à entreprendre. Dans ce cas, il apparaît clairement que l'esprit sportif, qui veut que le meilleur gagne, l'emporte sur le nationalisme ou l'ethnocentrisme. Le sport pourrait bien se ramener alors à un facteur d'aliénation des masses, émoussant leur sens critique, les valeurs sportives ayant priorité sur les valeurs culturelles ou politiques.

La croissance rapide de ce sport d'équipe est illustrée éloquemment par la répartition de la documentation actuellement dépouillée dans les journaux francophones du Québec: seize articles pour les années 1876-1890; vingt-huit, pour la courte période

Baseball à l'île Sainte-Hélène
Une partie de baseball à l'occasion du «pic-nic» de l'Union des
typographes qui eut lieu à l'île Sainte-Hélène, en 1874. Le jeu est
encore élémentaire.
«Montreal — Base Ball on St. Helen's Island». *Canadian Illustrated
News,* July 18, 1874, p. 37.

1891-1895; cent deux, pour les années 1896-1898; cent trois, pour l'année 1899; près de deux cents, pour l'année 1900 seulement.

C'est à la fin du siècle seulement que des lignes sont organisées; avant, il n'existe que des clubs qui se rencontrent irrégulièrement, sans horaire précis, ou encore à la suite d'un défi[15]. Parmi les ligues les plus importantes qui existent au Québec vers 1900, il faut mentionner la ligue provinciale dont le président est F. Payette, du club Mascotte de Montréal, le secrétaire J.-É. Sévigny de Valleyfield et le trésorier J.-P. Plamondon de Saint-Hyacinthe[16]. La direction de cette ligue est donc canadienne-française. Six clubs en font partie: Farnham, Mascotte de Montréal, Saint-Hyacinthe, Sorel, Valleyfield et Saint-Jean[17]. Des cinquante-quatre joueurs identifiés qui composent ces clubs, trente-neuf sont des Canadiens français, soit 70%, les autres étant des anglophones. Dans la région de Montréal, une ligue intermédiaire composée de sept clubs est formée en 1900. Ces clubs sont le Varsity de Sorel, le Central de Valleyfield, le Royal de Saint-Hyacinthe, Le Jeune de Saint-Jean et trois clubs de Montréal: le Mascotte, le Ville-Marie et l'Indépendant[18].

De plus, la ville de Montréal a une équipe exclusivement composée de joueurs anglophones qui fait partie de là «Eastern League». Les autres clubs de cette ligue composée uniquement de joueurs professionnels[19], qui ne sont engagés que pour la durée de la saison, quatre ou cinq mois[20], sont Rochester, Providence, Springfield, Syracuse, Worcester, Hartford et Toronto. Au total, ces clubs jouent cent vingt-six parties[21].

Montréal, Saint-Hyacinthe, Farnham et Hull ont aussi une équipe dans la Ligue Internationale de l'Est; les équipes américaines de Plattsburgh, Malone et St. Albans font aussi partie de ce circuit[22]. Il faut toutefois ajouter que l'organisation de ces ligues n'est pas stable et que le nombre de clubs faisant partie d'une ligue varie d'une année à l'autre[23]. L'instabilité de l'organisation du baseball est encore plus évidente chez les amateurs.

Certains clubs se livrent une lutte acharnée. La rivalité entre les amateurs du National de Montréal et ceux du Granite de Saint-Hyacinthe est très virulente. Les citadins de Montréal n'apprécient

Victoire sur Montréal

La défaite que le club de Montréal s'est fait infliger jeudi après-midi, en notre ville, par notre club, a été complète.

Ce n'est pas la victoire des nôtres qui nous étonne, nous avons pour cela une confiance trop solide en leur valeur, mais nous sommes surpris des proportions que prend la défaite du club montréalais, tant vanté par les journaux de la métropole.

À les entendre, ils possédaient la crème des joueurs, ils n'avaient qu'à se montrer pour avoir le droit de répéter le mot de César: *Je suis venu, j'ai vu, j'ai vaincu,* et en vérité, nous n'avons encore rien vu de si faible qu'eux à Saint-Hyacinthe.

Disons maintenant qu'il manquait quatre bons joueurs au club de Montréal, c'est sa seule excuse.

Nous espérons que la prochaine fois qu'il quittera la métropole pour aller jouer à la *campagne,* le club de Montréal sera au grand complet, il en a fort besoin, et qu'il ne nous condamnera pas à excuser et expliquer sa prochaine défaite.

Comme d'habitude, il y avait foule sur le terrain.

L'intérêt du jeu s'est concentré sur nos joueurs, qui ont fait merveille et se sont surpassés.

La Batterie «Campbell Casey» a eu raison des frappeurs adversaires, et l'excellence de leur jeu a été admirée par tout le monde, étrangers comme citoyens de notre ville.

Le «champ» a fait son devoir, il ne pouvait en être autrement, représenté qu'il était par Durocher, Lavoie et Leclerc.

Champagne, Desjarlais, Lane et McCarthy ont réussi comme toujours à l'avant-garde, sur les buts.

Tous nos joueurs ont très bien frappé. Campbell a frappé un *home run* dès la première *inning*.

Nous attendons une prochaine partie pour mieux apprécier la valeur des Montréalais.

POSITION DES JOUEURS

Saint-Hyacinthe	Position	Montréal
Campbell	catcher	Miller
Leclerc	right field	Mowat
Lane	first base	Sweeney
Durocher	center field	Wilson
McCarthy	short stop	Bonner
Lavoie	left field	Deene
Champagne	second base	Bell
Desjarlais	third base	Fuller
Casey	pitcher	Thompson

Umpire: Ledoux.

RÉSUMÉ DE LA PARTIE

St-Hyacinthe... 3 6 5 0 0 1 0 1 x = 16
Montréal... 1 0 0 0 0 0 0 0 3 = 4

Nos compliments à la Philharmonique qui, suivant son excellente coutume, a fait de la très belle musique.

«Victoire sur Montréal». *Le Courrier de Saint-Hyacinthe*, 16 mai 1896.

guère que leur club se fasse battre lorsqu'il va jouer «à la campagne»[24]. Par contre, les amateurs de Saint-Hyacinthe n'apprécient guère les défaites; ils sont souvent de mauvais, très mauvais perdants[25]. L'essentiel n'est pas de participer, mais de vaincre.

L'agressivité des joueurs de la Ligue provinciale n'est pas moins vive et la partisanerie provoque une avalanche de protêts[26]. Il arrive même que la partie dégénère en «bataille en règle entre les joueurs des deux clubs[27]», que l'arbitre soit violenté[28] ou que des spectateurs donnent «plusieurs horions à des joueurs[29]». Mais il s'agit là d'exceptions. De façon générale, on respecte les règles du jeu et on joue même avec courtoisie, en «parfait gentilhomme»[30]. Le rédacteur des colonnes sportives du *Courrier de Saint-Hyacinthe* fait souvent référence aux principes de l'esprit sportif: vaincre proprement, partie franche, justice à tous les joueurs, que le meilleur gagne, la bonne foi, le respect des règles, etc.

Les parties de baseball attirent autant de spectateurs que les matchs de hockey. Une assistance de deux mille personnes est considérée comme nombreuse par la presse de l'époque[31]. Il arrive que des parties soient jouées devant plus de trois mille spectateurs, tant à Montréal[32] qu'à Saint-Hyacinthe[33]. En général, c'est le dimanche après-midi que les parties sont disputées, étant donné que les spectateurs, dont le nombre doit être le plus élevé possible, se recrutent principalement chez les travailleurs qui, eux, n'ont que ce jour libre[34]. Le prix d'entrée est généralement de vingt-cinq cents pour les hommes, dix cents pour les garçons. Les dames, demoiselles et fillettes sont admises gratuitement[35]. La femme est utilisée pour la promotion du sport. Il semble que sa présence apporte une caution morale au sport et lui confère un statut d'honorabilité, surtout s'il s'agit de «dames». C'est ce qui explique qu'elles n'aient pas à payer de prix d'entrée.

Si la présence des femmes est même favorisée, à titre de spectatrices, il en est autrement lorsqu'elles veulent envahir le «diamant vert». Lorsqu'une équipe de jeunes filles de New York vient jouer à Montréal contre des joueurs du Crescent, la partie est qualifiée de «farce» par le journaliste sportif de *La Presse*. Une farce qui a attiré quinze cents personnes[36]. À Saint-Hyacinthe, le rédacteur du journal local réprouve vertement la participation de jeunes filles à une partie de balle contre des jeunes hommes car il considère que «le beau sexe serait mieux dans son rôle en recherchant les prix de vertu qu'en parcourant le champ en costume écourté[37]». Le contrôle social qui s'exerce alors par la presse locale confine la femme au rôle de spectatrice docile. Des estrades au terrain de sport, il existe une barrière qu'elle ne doit pas franchir. La morale catholique l'interdit.

Il paraît y avoir une relation entre le sport spectacle et la pratique du baseball chez les amateurs. Même s'il n'est pas encore possible d'établir ce lien avec certitude, le cas de Saint-Hyacinthe mérite d'être signalé à cet égard. En 1895, cette petite ville possède un club professionnel au sein de la Ligue Internationale de l'Est, dont le succès excite la verve du journal local et enthousiasme les foules partisanes[38]. L'engouement pour le baseball fut tel que dès l'année suivante, on compte, dans la ville et les environs, de très nombreuses équipes d'amateurs qui prolongent dans la pratique sportive leurs solidarités. Les jeunes gens se regroupent en formations de paroisse tandis que dans la ville les hommes de métiers (barbiers, cordonniers, plombiers et ferblantiers) forment aussi leurs clubs de baseball[39].

La ville de Saint-Hyacinthe reçoit la visite de clubs de baseball provenant d'une vingtaine de villes et villages différents du Québec et des États-Unis[40]. Le phénomène apparaît unique au Québec; cette petite ville peut être considérée comme le centre du baseball québécois au XIXe siècle. Le centre d'attraction se déplacera, par la suite, à Montréal.

En 1900, la stabilité de l'organisation du baseball au Québec est loin d'être acquise, et d'une année à l'autre, si l'on constate la formation de nouveaux clubs et de nouvelles ligues, on observe par ailleurs autant de disparitions. Des changements sont apportés chaque année aux constitutions des ligues afin de les ajuster aux besoins nouveaux créés par l'expansion rapide de ce sport[41].

Le vocabulaire du baseball, diffusé par les rédacteurs sportifs des journaux francophones, est essentiellement anglophone. L'abbé Étienne Blanchard et la Société du Parler français au Canada proposent[42], au début du XXe siècle, la francisation de ce vocabulaire anglophone. Le «base-ball» ne deviendra pas la «balle

Caricature publiée dans *La Patrie,* Montréal, le 18 juin 1900, p. 2, pour se moquer des joueurs du club Farnham à qui Hardy, du club Mascotte de Montréal, a fait mordre la poussière à plusieurs reprises.

Vocabulaire du baseball

Terme américain[1] (1900)	Proposition de francisation[2] (1910)	Terme utilisé[3] en 1940
baseball	balle au camp	baseball
pitcher	lanceur, donneur	lanceur
catcher	receveur, attrapeur	receveur
1st baseman	1 er planton ou garde-but	1er but
2nd baseman	2e planton ou garde-but	2e but
3rd baseman	3e planton ou garde-but	3e but
short-stop	arrêt-court, avant garde	arrêt-court
right-field	voltigeur de droite	voltigeur de droite
left-field	voltigeur de gauche	voltigeur de gauche
centre-field	voltigeur du centre	voltigeur du centre
play ball	au jeu	au jeu
umpire	arbitre, juge	arbitre, juge
inning	manche	manche
batter	batteur	frappeur, cogneur
bat	batte	bâton
home run	une ronde	coup de circuit
strike	prise	prise
struck out	hors de combat	retiré
bunt	coup d'arrêt	coup retenu
fly	vol	ballon

1. Termes américains utilisés par les journalistes sportifs franco-phones en 1900.

2. BLANCHARD, abbé Étienne. *Termes anglais et anglicismes.* Montréal, Beauchemin, 1913, p. 39.

3. Selon les pages sportives du *Devoir* de l'année 1940. Le début de la francisation des termes sportifs dans ce journal est cependant bien antérieur.

au camp», mais les principales propositions de francisation du vocabulaire du baseball formulées par l'abbé Blanchard prévalent dans la presse des années 1940, notamment dans les pages sportives du *Devoir* comme l'indique le tableau ci-contre, sur le vocabulaire du baseball.

Durant tout le XIXe siècle, le baseball demeure la chasse gardée des Américains. Il pénètre au Canada dès les années 1860 mais les meilleurs joueurs et les meilleurs clubs sont tous, sauf exceptions, américains. À la fin du siècle, quelques Canadiens français d'origine, établis aux États-Unis, jouent pour des clubs professionnels américains des ligues majeures: Mercer alias Mercier joue pour New York, Demontreville pour Brooklyn, Geier (Giguère) pour Cincinnati, German (Germain) pour Washington, Lachance pour Brooklyn, Lizotte pour Pittsburgh. Certains figurent même parmi les grandes vedettes du baseball américain. C'est le cas de Lizotte et surtout de Larry Lajoie qui joue alors pour Philadelphie. Selon le *Globe* et le *Herald* de Boston, Lajoie est le plus habile joueur qui ait jamais foulé un terrain de baseball[43]. Le succès de ces Franco-Américains trouve son écho dans la presse québécoise et favorise l'engouement des Canadiens français, surtout ceux des villes de Saint-Hyacinthe et de Montréal, pour le baseball. À Montréal, même si la population adulte préfère la crosse, les jeunes gens, eux, préfèrent pratiquer le baseball[44].

Avec la pénétration du baseball au Québec, les Canadiens français prennent contact avec le sport dans sa version américaine, c'est-à-dire dominé par les professionnels du sport spectacle pour qui il se ramène avant tout à une entreprise commerciale. Pour certains Québécois, notamment les membres du clergé, il s'agit là d'une expression malsaine du sport, qui doit être réprouvée[45]. Ces réprobations n'empêchent pas les Québécois de fréquenter massivement les stades de baseball car nombreux sont ceux, surtout dans les villes, qui partagent certains traits culturels américains, dont l'engouement pour le baseball.

Les officiers de la ligue de baseball de la province de Québec.
La Patrie, 16 mars 1900, p. 2.

Constitution et règlements de la ligue provinciale

Art. 1 - Cette ligue sera connue sous le nom de «Ligue de baseball de la Province de Québec».

Art. II - Elle sera composée des clubs suivants: Saint-Jean, de Saint-Jean; Saint-Hyacinthe, de Saint-Hyacinthe; Valleyfield, de Valleyfield; Mascotte, de Montréal; Farnham, de Farnham et Sherbrooke, de Sherbrooke.

Art. 111 - Il devra être déposé par chaque club, d'ici au 21 avril, dans les mains du trésorier, une somme de 50$, dont 10$ seront employés pour défrayer les dépenses courantes de la ligue. La balance de ladite somme, soit 40$, sera détenue comme garantie. Dans le cas où un club ne remplirait pas ses engagements envers la ligue, lesdits 40$ seront confisqués par la ligue et si un club a été victime de ce manque du club offensant, cette somme lui sera remise à titre d'indemnité.

Art. IV - Le club recevant devra remettre au club visiteur, à chaque partie, la somme de 4,00$ pour dépenses de voyage.

Art. V - Dans le cas de mauvais temps, le club recevant devra notifier le club visiteur une heure avant le départ du train par un télégramme adressé au gérant du club, au bureau de télégraphe de la station, sous peine de supporter les frais de voyage, ces derniers ne devant pas excéder la somme de 40$. Le club visiteur devra, au commencement de la semaine qui précède la partie, notifier le club recevant de la voie par laquelle il a l'intention de se rendre.

Art. VI - Tout protêt devra être enregistré sur le terrain même avant ou pendant la partie, et le club protestant devra déposer la somme de 10$ entre les mains de l'umpire. Ce dernier devra faire parvenir cette somme et une copie du protêt, par le premier courrier, au président de la ligue. Dans le cas où la ligue ne soutiendrait pas le protêt, ladite somme de 10,00$ ira au club défendeur.

Un club, protestant une partie, devra envoyer un duplicata de ce protêt au club avec lequel ladite partie aura été jouée.

Art. VII - Les clubs auront droit à deux représentants à chaque assemblée de la ligue convoquée régulièrement mais un seul délégué aura le droit de voter.

Art. VIII - Les règles du jeu seront celles de la National League en autant qu'elles sont compatibles avec notre position.

Art. IX - Aucun joueur ayant joué ou étant sous contrat pour un club de la ligue ne pourra jouer pour un autre à moins d'être en état de produire un certificat attestant qu'il a été remercié de ses services par le gérant du premier club. Le président de la ligue devra également être notifié de ce renvoi.

Un club employant un joueur n'ayant pas rempli cette formalité perdra toute partie à laquelle ledit joueur aura pris part.

Aucun club n'aura le droit d'employer un joueur ayant joué dans l'une ou l'autre des ligues Nationale, Américaine ou de l'Est, après le 1er juin 1901.

Chaque club devra envoyer au président de la ligue une liste complète des joueurs qu'il aura sous contrat au commencement de la saison et le tenir également au courant de chaque acquisition qu'il pourrait faire plus tard.

Tous les clubs devront adopter une formule de contrat uniforme, des blancs leur devant être fournis par le secrétaire.

Art. X – Trois umpires réguliers et 2 substituts seront nommés par la ligue. Un seul agira dans chaque partie. Le club recevant lui paiera 5$ et ses dépenses de voyage et d'hôtel. Le président de la ligue assignera à chacun sa tâche, la veille des parties. Chaque umpire devra déposer le 21 avril une garantie de 10$ qui sera confisquée s'il ne se rend pas au lieu qui lui aura été indiqué par le président ou s'il ne notifie pas celui-ci de son incapacité d'agir à temps pour être remplacé.

Dans le cas où un umpire ferait défaut, le gérant du club visiteur aura le droit de nommer un résident de la place, mais cette nomination devra être approuvée par le gérant du club recevant. Ce substitut aura droit aux mêmes honoraires qu'un umpire régulier.

Art. XI – Tout club, dont le dépôt aura été confisqué, devra faire un nouveau dépôt avant de se mesurer avec un club de la ligue.

Art. XII – Un manque de joueurs ne constituera pas une raison valable pour manquer un rendez-vous.

Art. XIII – Chaque club recevant devra avoir un scorer officiel, et le record détaillé de chaque partie devra être envoyé au président dans les trois jours qui suivront.

Dans le cas où un club ne se conformerait pas à cette règle, une amende de 5$ lui sera imposée.

Les scores officiels seront enregistrés et conservés.

Et les moyennes des joueurs devront être publiées dans les journaux à la fin de chaque mois.

Art. XIV - Dans le cas de parties remises pour cause de mauvais temps ou autres, les deux clubs intéressés devront s'entendre entre eux et notifier le président de leur décision.

Art. XV - Aucun club ne pourra transporter sa franchise.

Art. XVI - Aucune cité ne pourra être représentée par plus d'un club.

Art. XVII - Aucun club ne pourra aller faire de concurrence à un autre dans sa ville, un jour de partie régulière.

Art. XVIII - Le Président de la ligue aura plein pouvoir de convoquer des assemblées quand il le jugera à propos.

«Baseball». *La Patrie*, 25 mars 1901, p. 2.

NOTES

1. On parle souvent de «sport collectif» pour qualifier les sports d'équipe. Il s'agit d'une interprétation erronée. En effet, le mot «collectif» désigne un ensemble de personnes dont le nombre est indéterminé, alors qu'une «équipe» réunit un nombre déterminé de personnes. La distinction est donc importante.

2. CAILLOIS, Roger. *Jeux et sports.* Paris, Gallimard, 1967, p. 1411. Voir aussi DURANT, John. *The Story of Baseball.* New York, Hastings House, 1974, 312 p.

3. «Origine du jeu de «base-ball». *Le Soleil,* 21 janvier 1899, p. 4. La crosse, explicitement désignée dans les documents du XIXe siècle comme «le jeu des Sauvages», fait aussi l'objet de semblables investigations et rapatriement dans l'édition du même journal en date du 17 janvier 1899, p. 3.

4. ARLOTT, John. *The Oxford Companion to Sports and Games.* Great Britain, Oxford University Press, 1976, p. 50.

5. DURANT, John. *Op. cit.* supra, note 2, p. 3. Cette commission a été formée à la suggestion de A. G. Spalding, propriétaire de la grande compagnie américaine d'articles de sport.

6. LUCAS, John A. and SMITH, Ronald A. *Saga of American Sport.* Philadelphia, Lea & Fobiger, 1978, p. 170.

7. MENKE, Frank G. *The Encyclopedia of Sports.* New York, Burnes, 1975 (5e éd.), p. 52.

8. «Base Ball». *Montreal Gazette,* August 19, 1869. FORGET, abbé Anastase. *Histoire du Collège de l'Assomption.* Montréal, Imprimerie Populaire, 1932, p. 230. Il affirme que dès 1860, la «balle au camp» était connue des étudiants de ce collège. Ce sport aurait été pratiqué en Ontario dès 1838. *The Encyclopedia Americana.* New York, The Americana Company, 1904.

9. Cité par ROXBOROUGH, Henry. *The Story of Nineteenth-Century Canadian Sport.* Toronto, The Ryerson Press, 1966, p. 29.

10. «Match Game». *Le Courrier de Saint-Hyacinthe,* 23 août 1877.

11. «Tournoi». *Le Canadien,* 26 juin 1877, p. 3.

12. «Base Ball». *Le Courrier de Saint-Hyacinthe,* 14 juillet 1877.

13. «Fête nationale». *Le Courrier de Saint-Hyacinthe,* 28 juin 1876. Le pointage très élevé des parties — plus de cinquante points — indique que le jeu est encore très rudimentaire et que les clubs ne sont pas toujours «d'égales forces».

14. «L'ouvrage de notre équipe». *La Patrie,* 13 septembre 1899, p. 2.

15. Ces défis sont lancés en raison du manque d'organisation de ce sport et ne sont pas de même origine que ceux que l'on retrouve dans les courses de che-

vaux qui, elles, relèvent essentiellement d'une lutte de prestige entre les membres de la bourgeoisie.

16. Cette ligue a été formée en 1898. Le programme de la saison comprenait dix parties. «Base Ball». *Le Courrier de Saint-Hyacinthe,* 16 avril 1898. Elle a cessé ses activités en juillet 1901, malgré les efforts des dirigeants du club de Saint-Hyacinthe pour maintenir cette ligue. «La ligue provinciale n'est plus». *La Patrie,* 17 juillet 1901, p. 2.

17. «Montréal subit deux défaites». *La Patrie,* 14 mai 1900, p. 2.

18. «La ligue provinciale». *La Patrie,* 12 mars 1900, p. 2.

19. «Le président est de retour». *La Patrie,* 27 mars 1900, p. 2.

20. «Base-Ball». *La Patrie,* 24 mars 1900, p. 12.

21. «Base-Ball». *Le Soleil,* 14 mai 1900, p. 3.

22. «Base-Ball». *Le Courrier de Saint-Hyacinthe,* 10 mars 1896.

23. «Base-Ball». *Le Courrier de Saint-Hyacinthe,* 8 avril 1899.

24. «Victoire sur Montréal». *Le Courrier de Saint-Hyacinthe,* 16 mai 1896.

25. «Base-Ball». *Le Courrier de Saint-Hyacinthe,* 9 août 1898.

26. «L'ère des protêts est terminée!». *La Patrie,* 21 septembre 1899, p. 2.

27. «Base-ball». *La Patrie,* 29 août 1892, p. 4.

28. «Base-Ball». *Le Courrier de Saint-Hyacinthe,* 9 août 1898.

29. «Les Montréal de retour». *La Patrie,* 28 juillet 1899, p. 2.

30. «Base-Ball». *Le Courrier de Saint-Hyacinthe,* 16 août 1898.

31. «Montréal subit deux défaites». *La Patrie,* 14 mai 1900, p. 2.

32. «Baseball». *La Patrie,* 31 juillet 1899, p. 7.

33. «Base-Ball». *Le Courrier de Saint-Hyacinthe,* 7 juin 1898.

34. «Le retour». *La Patrie,* 10 mai 1890, p. 2. Contrairement aux anglophones protestants qui respectent l'observance religieuse du dimanche, les franco-catholiques profitent du dimanche après-midi pour s'adonner à des amusements.

35. «Double attraction demain au Parc Lépine». *La Patrie,* 5 juin 1897, p. 8.

36. «Le base ball par des jeunes filles». *La Presse,* 17 août 1889, p. 4.

37. «La lutte». *Le Courrier de Saint-Hyacinthe,* 5 septembre 1891.

38. Le statut professionnel de cette équipe est certain car on sait que l'année suivante cette «association de la Base ball signait (...) l'engagement d'un joueur de Denver, Colorado» pour occuper l'importante position de premier but. L'article ajoute encore que «notre association est en pourparlers avec deux autres excellents joueurs, l'un de Boston, l'autre de New York, on espère conclure les arrangements avec eux d'ici quelques jours». «Base-ball». *Le Courrier de Saint-Hyacinthe,* 26 mars 1896.

39. «Base-Ball». *Le Courrier de Saint-Hyacinthe,* 1er août 1896.

40. Ces villes et villages sont: Granby, Acton, Upton, Sorel, Montréal, Nicolet, Hull, Farnham, Saint-Dominique, Saint-Jean, Valleyfield, Saint-Hugues, Longueuil, Sherbrooke, Beloeil, Saint. Albans, Malone, Plattsburgh, New York.

41. «La ligue provinciale». *La Patrie,* 12 mars 1900, p. 2. «Réorganisation de la ligue provinciale». *La Patrie,* 18 mars 1901, p. 2.

42. BLANCHARD, Étienne. *En Garde! Termes anglais et Anglicismes.* S.1., 1912, p. 38.

43. DROUIN, J.P.R. *Le sport, guide officiel.* Montréal, imprimerie du Journal des Débats, 1900, p. 49.

44. MARIER, Jos. «Le jeu de crosse». *Le sport, guide officiel.* Montréal, imprimerie du Journal Les Débats, 1900, p. 132.

45. Le Patronage de Lévis. «Le Sport». *L'Enseignement primaire,* février 1915, p. 383. En 1936, la *Revue Dominicaine* dénoncera l'américanisation des Québécois par le sport. *Notre américanisation.* Montréal, L'œuvre de presse dominicaine, 1937, p. 101.

2

Le billard

F ort ancien, le jeu de billard était autrefois pratiqué à l'extérieur et à même le sol, comme le croquet et le mail. À la fin du Moyen Âge, sous le nom de bagatelle[1], on le transforma en jeu d'appartement. Au XVIe siècle, le billard devint très vite un divertissement aristocratique en vogue tant en France et en Angleterre qu'en Allemagne[2]. Sous François 1er, les *Menus Plaisirs* de Fontainebleau comportaient une salle destinée au billard; Louis XIV le mit à la mode parce que ses médecins lui recommandaient de l'exercice pour soulager ses troubles gastriques[3].

En France, le jeu de billard reste le privilège exclusif des aristocrates et des grands bourgeois jusqu'en 1610, alors que le droit de tenir billard public est accordé à des billardiers paulmiers[4]. Le jeu ne se démocratise pas pour autant puisqu'en 1740, on ne compte que vingt billards dans la ville de Paris[5].

En Nouvelle-France, plus précisément à Montréal, on joue au billard dès la fin du XVIIe siècle. En 1688, le 21 avril, Abraham Bouat, «maistre d'un billard», est accusé d'avoir laissé jouer du billard chez lui, le lundi, lendemain de Pâques, durant les vêpres, alors que c'est formellement interdit. Trouvé coupable, l'aubergiste est condamné à 10 livres d'amende et défense lui est faite à l'avenir «d'ouvrir la porte de son billard, de fournir et donner les billes ainsi que les billards à qui que ce soit, pendant les offices Divins, à peine de 50 livres d'amende»[6]. Cet interdit ne vise pas le billard comme tel, mais entend plutôt faire respecter l'observance religieuse. Toutes les activités profanes et surtout les divertissements sont frappés du même interdit, les dimanches et jours de fête religieuse. Il est toutefois intéressant de noter que déjà, la passion pour le jeu de billard conduisait des amateurs à enfreindre les ordonnances sur l'observance religieuse et ainsi encourir les foudres du clergé et du pouvoir civil.

D'autres tables de billard apparaissent à Montréal avant la fin

Le «père du billard», Michael Phelan, en 1863. Extrait de *The Illustrated Hand-Book of Billiards*. New York, Phelan & Collender, 1863.

du XVIIe siècle[7]. C'est donc par Montréal que le jeu de billard pénètre en Nouvelle-France, grâce à l'initiative d'aubergistes qui veulent s'attirer la clientèle des «sieurs» friands de ce jeu.

Durant tout le XVIIIe siècle, le billard se joue principalement dans les auberges. Des aristocrates et des bourgeois possèdent une salle de billard où l'on y joue entre amis. En 1811, les séminaristes de Nicolet peuvent jouer au billard grâce à la générosité du gouverneur, sir Georges Prévost, qui leur donna une table évaluée à cinquante guinées[8]. Ce don exceptionnel du gouverneur apporte une caution d'honorabilité au jeu de billard à un moment où ce jeu ne répond pas à toutes les exigences de la morale chrétienne[9]. En effet, depuis le début du siècle, les tables de billard sont assez nombreuses et causent suffisamment de maux et d'inconvénients pour justifier l'intervention de la Chambre d'Assemblée du Bas-Canada. Par cette loi[10], aucune personne ne peut tenir, pour son profit, une table de billard sans détenir une licence à cette fin. De plus, le législateur interdit au détenteur d'une licence de laisser jouer les apprentis, les écoliers et les domestiques. Jouer pour de l'argent est tout aussi formellement défendu. On le voit, cette loi veut avant tout enrayer certains problèmes sociaux et moraux occasionnés par le jeu de billard. Il semble bien que les salles de billard servaient de refuges aux jeunes travailleurs et domestiques qui se débauchaient, et aux écoliers qui faisaient l'école buissonnière.

À cette époque et jusqu'au milieu du XIXe siècle, le billard figure au nombre des divertissements et services que les aubergistes et les hôteliers mettent à la disposition de leur clientèle[11]. Il ne s'agit pas encore, à proprement parler, de sport.

L'inflation documentaire se développe à partir des années 1860 au moment où le jeu est transformé en sport et popularisé en Amérique et en Europe par le grand champion américain Michael Phelan, considéré comme le «père du billard»[12].

Le Canada n'échappe pas à cette vogue occidentale sans précédent du jeu de billard dont la presse québécoise de l'époque fait écho. Des «sportsmen» canadiens-français atteignent même les sommets de la célébrité sur le continent américain dans ce nouveau sport et imposent leur suprématie tant au Canada qu'aux États-Unis, de 1860 à 1878. En effet, à partir de 1859, Joseph Dion, de Montréal, soutient avec succès la lutte contre des champions des deux pays et même d'Europe[13]. Son frère Cyrille cumula lui aussi les mêmes championnats. Les frères Dion, qui soulèvent la fierté nationale des Canadiens français[14], dominent durant une vingtaine d'années; ils remportent presque tous les tournois canadiens et américains. Supportés par la presse canadienne, ils engagent des paris énormes sur leur habileté; des amis de Joseph Dion ne craignent pas de parier jusqu'à 20 000$. Un seul billardiste réussit à mettre fin au règne des frères Dion, le Français Maurice Vignaux, champion du monde[15].

Voyons plus en détails la carrière des frères Dion.

Les journaux québécois, notamment *La Minerve* de Montréal, commencent à parler de Joseph Dion à la fin des années 1850. La première mention, qui date du 23 août 1859, fait état d'une victoire qu'il remporte facilement (1 000 contre 582) contre un certain M. Philbin[16]. Déjà à cette date, Joseph Dion se voit adresser des défis par les meilleurs joueurs américains, pour un enjeu de 1 000$[17]. Sa réputation dépasse les frontières du

Grande partie de billard

Cette partie dont on a tant parlé doit avoir lieu à la Salle mécanique, jeudi prochain, dans la soirée, le 18 courant, et pour une bourse de 100$; mais le montant peut, en toute probabilité, être porté à 1 000$, attendu que les admirateurs des joueurs respectifs sont des plus enthousiastes à ce sujet. La partie qui doit être jouée est les 4 billes *carom,* et la partie comprend trois jeux de 1 000 points chacun. Celui qui gagnera deux parties ou les trois, sera proclamé vainqueur.

Cette intéressante partie attirera indubitablement de nombreux spectateurs, particulièrement parce que tous les arrangements possibles ont été pris pour maintenir l'ordre le plus parfait, ce qui contribuera conséquemment au plaisir et à l'agrément des visiteurs.

Les joueurs sont M. Philbin, autrefois des plus célèbres, comme le plus habile et le plus scientifique joueur de billard des Canadas et parfaitement connu dans tout le continent américain — et un jeune Canadien français, du nom de Joseph Dion, employé depuis plusieurs années dans l'établissement de M. Perrault de cette ville où il est familièrement connu sous le nom de *Joe* et qui, d'après des juges compétents, par leur âge et leur expérience — est considéré comme ne le cédant en habileté à aucun joueur vivant.

«Grande partie de billard». *La Minerve*, 13 août 1859, p. 2.

Canada; il est considéré comme étant l'un des meilleurs billardistes sur le continent.

En 1864, il organise, dans les salles de billard du St. Lawrence
Hall, à Montréal, le premier grand tournoi de billard ouvert aux
«amateurs de Montréal»[18]. Un «jeune médecin», dont on ne mentionne même pas le nom, remporte la victoire sur cinq
adversaires[19]. Six joueurs seulement prennent part à ce premier
tournoi pour le championnat de Montréal. Si le billard commence
à se populariser, les joueurs de calibre sont encore très peu nombreux. L'année suivante, Joseph Dion tient le deuxième tournoi
ouvert aux amateurs de la ville de Montréal[20]. La même année, il
organise, sous les auspices de l'American Billiard Congress, le
premier grand tournoi ouvert aux joueurs de billard des deux
Canadas. Le tournoi commence le 10 juillet 1865, à l'Institut des
artisans de Montréal, et dure huit jours complets. Les concurrents
sont Samuel May, George Brown et C.-D. Chesborough de
Toronto, Cyrille Dion et H. McVittie de Montréal, Wm. Jakes de
Cobourg, J.-H. Davis de Hamilton, M. Gleason de Québec, W.
Phillips d'Oshawa et J.-L. Davis de Belleville[21]. Cyrille Dion sort
vainqueur de cette épreuve en gagnant toutes les parties jouées; il
est proclamé «champion des deux Canadas»[22]. Joseph n'a pas
participé à ce tournoi, sans doute pour laisser le titre à son jeune
frère.

Cyrille Dion, champion des deux Canadas

Hier soir, M. Cyrille Dion a été proclamé le champion des deux Canadas. En lui présentant la magnifique queue montée en or dont nous avons déjà donné une description, M. Cavit fit des éloges aux deux frères Dion pour la peine qu'ils se sont donnée en montant ce tournoi et les sacrifices pécuniaires considérables qu'ils se sont imposés pour le mettre sur le même pied que ceux donnés dans toutes les parties des États-Unis. Il dit qu'il avait assisté à tous ces tournois, et il était heureux de déclarer que les efforts des frères Dion avaient été couronnés d'un plein succès — succès dont les amateurs de Montréal doivent être fiers. Il regrettait de voir que le goût du billard n'était pas bien répandu dans cette ville, d'après ce qu'il pouvait en juger par le petit nombre de spectateurs qui assistaient à chaque séance; cependant, de plus belles parties n'avaient jamais été jouées aux États-Unis.

Comme champion des deux Canadas, M. Cyrille Dion devra tous les quatre mois jeter un défi, et si dans l'espace de trois ans, personne ne l'a supplanté, cette queue lui appartiendra. Après quelques autres remarques de M. Cavit, M. C. Dion s'avança au milieu d'un tonnerre d'applaudissements et dit qu'il était loin de s'attendre qu'il sortirait victorieux de la lutte, lorsqu'il s'était vu entouré des premiers joueurs du Haut et du Bas-Canada; il espérait qu'à la prochaine occasion, ses adversaires seraient plus heureux.

Le second prix, une élégante coupe en argent, fut décerné à M. Jakes, de Cobourg.

Ce soir, a lieu la grande partie de 1 500 points pour une bourse de 2 000$ en or. Les Montréalais ont l'espoir que M. Jos Dion sera le vainqueur. La partie commencera à 8 h précises.

Le premier grand tournoi au billard à Montréal, s'est donc terminé hier soir.

Voici les parties jouées pour les prix, durant ce tournoi qui ne pourra laisser que de bons souvenirs aux amateurs qui en ont été témoins.

Joueurs	Parties jouées	Gag.	Perd.
Cyrille Dion	5	5	0
Wm. Jakes	5	4	1
Sam. May	5	3	2
A. Guillet	5	2	3
H. McVittie	5	0	5
J. Rooney	5	1	4

«Le Tournoi au Billard». *La Minerve*, 19 juillet 1865, p. 2.

«Chadwick's Billiard Hall», Montréal
De 1860 à 1875, le billard connaît une vogue sans précédent au
Canada et notamment à Montréal, grâce à l'habileté des frères
Joseph et Cyrille Dion qui gagnent presque tous les tournois
durant cette période. Cette vogue valut à Montréal et Québec de
magnifiques salles de billard.
«Chadwick's Billiard Hall». *Canadian Illustrated News,* March 25,
1871, p. 180.

Lorsque les meilleurs joueurs américains et canadiens-anglais doivent se mesurer à l'occasion d'un tournoi international qui se tient à Toronto, Joseph Dion est le seul joueur «canadien» qui puisse participer à cette compétition[23]. Le *Globe* de Toronto affirme même qu'il est le meilleur joueur de billard au Canada[24].

Son jeune frère Cyrille est aussi un joueur redoutable, qui a peu d'adversaires de calibre au Canada[25]. Aussi, les deux frères champions sont-ils obligés de jouer l'un contre l'autre pour «mesurer leurs forces»[26]. Joseph est cependant supérieur à Cyrille à qui il doit concéder une avance de plusieurs centaines de points pour rendre la partie intéressante. Il n'est pas rare de voir Joseph Dion faire des suites de 120, 148, 118 et 103 points[27].

La réputation des frères Dion dépasse rapidement les frontières de l'Amérique. En 1866, «Roberts, le fameux joueur de billard d'Angleterre», fait voile pour l'Amérique «pour rencontrer Joseph Dion[28]. Confiant, Joseph lance immédiatement un défi «à n'importe quel joueur de l'univers pour une somme de 2 000$ à 5 000$ pour trois parties à l'anglaise, à la française et à l'américaine»[29]. Le champion anglais Roberts, directement visé, refuse de relever un tel défi; il ne veut pas jouer la partie française. Dion lui répond qu'il «n'est pas un véritable joeur»[30] et lui réitère son défi. Roberts file... à l'anglaise.

En 1867, Joseph remporte le titre de champion de l'Amérique, après avoir battu M. McDevitt de New York[31]. Trois ans plus tard, il détient toujours ce titre[32]. Par la suite, «ses affaires» l'accaparent à un point tel qu'il renonce à la compétition internationale, n'ayant plus le temps de se «préparer à jouer»[33].

Ces «affaires» ne sont toutefois pas étrangères au jeu de billard. En février 1867, il loue le Nordheimer's Hall, rue Saint-Jacques, et le transforme en salle de billard[34], l'une des plus luxueuses du continent[35]. Jamais Joseph, tout comme son frère Cyrille d'ailleurs, ne s'éloignera du billard; toute sa vie est occupée à jouer ou à tenir une salle de billard.

Après 1870, c'est Cyrille qui devient la vedette des joueurs de billard du Canada, puis de l'Amérique[36]. Mais en 1874, Joseph sort de sa quasi-retraite pour participer au championnat du monde qui se tient à New York. C'est le Français Maurice Vignaux qui remporte le championnat en gagnant sept parties sur huit. Joseph Dion se classe troisième pour les parties gagnées, mais il réussit une moyenne de vingt-cinq points par série, ce que Vignaux n'a pu atteindre[37]. Quelques mois plus tard, Joseph subit de nouveau la défaite contre Vignaux[38]. Cyrille connaît aussi plusieurs défaites contre ce champion du monde[39]. La carrière internationale des frères Dion est à toute fin pratique terminée après ces défaites.

Entre 1860 et 1868, tout l'espace que les journaux québécois accordent aux nouvelles sur le billard est consacré aux frères Joseph et Cyrille Dion. Il existe certes d'autres billardistes, notamment à Montréal et à Québec, mais le calibre du jeu des frères Dion les relègue dans l'anonymat complet.

De 1880 à 1900, il n'y a plus de joueur de billard du calibre des frères Dion, mais l'on assiste à une multiplication des tables et des salles de billard. En 1888, il y a pas moins de cent trente-sept tables de billard ou de «pool» réparties dans cinquante-trois salles (hôtels, restaurants, clubs, cercles, etc.) dans la seule ville de Montréal[40]. Cette popularité relative apporte une modification

Annonce parue dans *La Patrie*, le 22 janvier 1892, p. 2.

Tournoi mondial de billard

L e grand tournoi au billard qui a eu lieu à New York et qui a occupé l'attention de toute la presse américaine pendant neuf jours, s'est terminé vendredi par la victoire de Vignaux, un Parisien, récemment arrivé aux États-Unis. L'enjeu était le titre de champion du monde et 600,00$ en argent, une montre en or enrichie de diamants était décernée au joueur qui ferait la meilleure série, et une montre en or, comme second prix, pour la meilleure série. Les parties ont été jouées sur un billard français et d'après les règles de la partie française; malgré ce désavantage, notre compatriote, Joseph Dion, a parfaitement maintenu sa réputation, il est sorti victorieux cinq fois sur huit, il a fait la série extraordinaire de 159 carambolages et une moyenne de 25 points par série, ni Vignaux ni Garnier n'ont pu atteindre ces chiffres.

Voici le résultat du tournoi:

	Parties Gagnées	Parties Perdues	Meilleure Série	Moyenne
Vignaux	7	1	149	16 2/3
Garnier	6	2	89	18 1/8
J. Dion	5	3	159	25
Daly	5	3	108	21 1/4
Rudolphe	4	4	97	15 3/4
Ubassy	3	5	104	11
Slosson	3	5	88	11
C. Dion	2	6	73	14 1/8
Daniels	0	8	45	9 3/4

Vignaux prend le grand prix; la montre enrichie de diamants est échue à Joseph Dion et la montre d'or à Albert Garnier.

Un auditoire nombreux, variant de 1 500 à 2 500, assistait aux séances et y prenait grand intérêt, des paris considérables étaient échangés, chacun avait son joueur favori. Enfin, les organisateurs n'ont qu'à se féliciter du succès qui a couronné leurs efforts.

«Tournoi au billard». *Le Canadien,* 18 novembre 1874, p. 2.

importante chez les amateurs, lesquels ne proviennent plus uniquement des classes bourgeoises, mais aussi du prolétariat urbain. Mais le jeu de billard perd de sa popularité aux dépens du jeu de «pool»[41], d'origine américaine; jeu plus démocratique parce que plus simple à jouer. Les bourgeois restent fidèles au billard dont les règles sont plus complexes et le jeu plus raffiné.

Si dans les années 1880, le jeu de billard, et surtout de «pool», se popularise, c'est surtout grâce aux propriétaires de restaurants; c'est là que les principales manifestations de ces jeux se tiennent. Les meilleurs joueurs de Montréal et du Canada se retrouvent au White Elephant Billiard Rooms du restaurant de M. Fortin, au coin des rues Notre-Dame et Saint-Gabriel. En 1884, c'est dans les salles de ce restaurant que le concours pour le titre de champion du Canada au jeu de «pool» se tient, pour un enjeu de 100$. Un certain M. Robillard est proclamé vainqueur[42] après avoir battu un M. Slomer[43]. La très vive concurrence entre les restaurants de Montréal amène, dans cette ville, les meilleurs joueurs du Canada et de l'Amérique. Frank Alexe, propriétaire d'un restaurant situé aux numéros 37 et 39 de la rue Saint-Laurent, organise des rencontres entre «le champion des billardistes de profession du Canada»[44], John Donoghue, et des champions américains. Le propriétaire de l'hôtel Richelieu fait de même[45]. À Québec, c'est le club des Marchands, situé au numéro 50, rue de la Couronne dans le quartier Saint-Roch, qui connaît le plus d'effervescence[46].

Nous n'avons aucune donnée quantitative qui nous permettrait d'établir avec un peu d'exactitude la popularité du billard. Les foules nombreuses, les nombreux spectateurs, les grandes foules dont parlent les journaux ne comptent qu'une centaine d'amateurs, rarement plus[47]. D'abord, rares sont les salles de billard qui peuvent recevoir plus de deux cents spectateurs à la fois. Puis, il en coûte 0,50 cents par personne pour voir jouer, 1$ si l'on réserve un siège[48]. Il arrive que l'admission soit gratuite, notamment dans les salles de certains restaurants qui cherchent à attirer des clients[49]. Les amateurs y sont alors plus nombreux[50].

Ces amateurs et ces spectateurs sont, à toute fin pratique, exclusivement des hommes. La presse est totalement muette sur la participation des femmes au jeu de billard, qui est de toute évidence réservé aux hommes. Les annonces de tournois n'invitent pas les dames à y assister comme c'est le cas pour d'autres spectacles sportifs, notamment les courses de chevaux, le baseball ou le hockey. Il arrive que des messieurs se fassent accompagner de dames mais les occasions sont plutôt rares[51]. Plusieurs raisons expliquent cette absence des femmes dans un sport qui ne demande pourtant ni force physique ni robustesse, qualités ordinairement attribuées à l'homme et souvent avantageuses pour pratiquer les sports. Il y a d'abord le fait que le jeu est organisé par des hommes à l'intérieur de clubs, de cercles ou de restaurants où il se consomme des boissons alcoolisées et où des paris considérables sont en jeu. Ces endroits sont fréquentés par toutes sortes de gens aux allures suspectes, par des flâneurs et des gens bruyants, ce qui contribue également à éloigner les dames respectables[52].

Cette mauvaise réputation, pas toujours fondée, amène le pouvoir civil à imposer une taxe énorme sur les tables de billard afin d'en décourager la multiplication.

Depuis 1801, aucune personne ne peut tenir un billard sans obtenir une licence à cet effet. Au début du siècle, cette licence coûte douze livres, dix chelins. Un comité de l'Assemblée du Bas-Canada proposait même que cette taxe soit de vingt livres[53]. Cette taxe, tout à fait prohibitive, avait pour but de limiter le nombre de salles de billard, lesquelles étaient souvent des foyers de désordre. Incapables de payer cette taxe annuelle, certains doivent vendre leur table de billard à vil prix, car il s'ensuit une dévaluation importante[54].

En 1865, à l'occasion de l'inauguration du premier grand tournoi de billard pour le championnat des deux Canadas à se tenir à Montréal, le secrétaire de l'American Billiard Congress, Daniel-E. Cavit, dénonce cette taxe qui nuit à l'expansion du billard à Montréal:

«Quoique le billard soit très populaire à Montréal, toutes les classes ne peuvent pratiquer ce jeu à cause des impôts qui sont imposés sur toute table de billard. À Montréal, un particulier ne peut avoir une table de billard sans payer de taxe, et celui qui loue le matériel du jeu est obligé de payer 155$ par année sur chaque table»[55].

J. Donoghue, champion professionnel des joueurs de billard au Canada.
La Patrie, 26 juin 1901, p. 2.

Arthur Marcotte, champion amateur des joueurs de billard du Canada.
La Patrie, 26 juin 1901, p. 2.

Le montant de cette taxe n'est pas uniforme pour tous les propriétaires de tables de billard. En 1867, les propriétaires de tavernes, de maisons de pension ou d'amusements publics doivent payer cent dollars pour la première table, cinquante dollars pour la deuxième et vingt dollars pour la troisième. Les clubs, eux, n'ont que vingt dollars à payer pour chaque table[56].

Trois ans plus tard, cette taxe est dénoncée par la presse. À la suite de *La Minerve*, *Le Canadien* de Québec rapporte que «les taxes s'élèvent à 62$ par table» et que l'établissement de Joseph Dion se trouve obligé «de payer 1,500$ d'impôts par année»[57]. À la fin du siècle, cette taxe s'élève à quatre-vingt-dix dollars, dont soixante-cinq sont perçus par le ministère du Revenu provincial et le reste par la corporation municipale de Montréal[58]. Même les établissements de charité ou de tempérance doivent payer cette «énorme taxe», la loi ne prévoyant pas encore d'exception.

Malgré cette taxe, les jeux de billard et de «pool» recrutent, à la fin du siècle, de plus en plus d'adeptes. Des clubs sont formés et des ligues sont organisées. En 1899, la Ligue Canadienne de Billard est fondée; les clubs de Québec, d'Ottawa et du M.A.A.A., de même que le Cercle Saint-Denis en font partie. Chaque club compte quatre joueurs et joue dix parties. Le comité exécutif de la ligue est composé d'un président, Alex Graham d'Ottawa, d'un secrétaire-trésorier, F.-A. Généreux du Cercle Saint-Denis, et de trois membres: A. Parent du Cercle Saint-Denis, J.-L. Gardner de Montréal et J.-A. Marcotte de Québec[59]. L'année suivante, Arthur Marcotte est élu président de cette Ligue[60]. À Québec, il existe une Ligue du district de Québec[61], mais son existence semble avoir été éphémère. Un club de Lévis fait partie de cette ligue, ainsi que trois clubs de Québec.

Il ne semble pas que cette organisation, en ligue, des principaux clubs du Québec ait eu une grande influence sur l'expansion des jeux de billard et de «pool». Même si le club est la cellule de base du sport, le billard et le «pool» sont des jeux individuels, dans lesquels un joueur d'élite peut plus facilement se faire valoir que dans une équipe. Par contre, contrairement aux sports d'équipe, le club de billard supporte mal les faiblesses d'un joueur.

Aussi, au tournant du siècle, bien qu'il existe plusieurs clubs et ligues, ce sont les champions professionnels et amateurs qui retiennent l'attention de la presse et des amateurs. Chez les amateurs, Arthur Marcotte de Québec s'avère le champion du Canada. Il mérita ce titre après avoir battu un montréalais nommé Richard, dans un tournoi qui eut lieu au Cercle Saint-Denis à Montréal. Après trois jours de lutte, les 24, 25 et 26 mai 1901, Marcotte l'emporta par une marge de cent quarante-six points dans une partie de mille points[62]. À la même époque, il cumule aussi le titre de champion de la province de Québec[63].

Même s'il est considéré comme amateur, Marcotte n'hésite pas à rencontrer le champion professionnel John Donoghue. Donoghue remporte facilement les premières parties, mais Marcotte démontre rapidement qu'il est «d'égale force» avec le champion professionnel du Canada[64]. En 1904, Marcotte déménage dans la métropole et ouvre une académie de billard, rue Sainte-Catherine. Selon le rédacteur de La Patrie, «la salle académique de Marcotte est l'une des plus belles qui existe au Canada et même en Amérique»[65]. Ayant atteint la célébrité, Marcotte, comme la plupart des champions avant lui, tente de vivre du billard.

Un autre Canadien français, Edmond Pelletier, sera lui aussi le champion professionnel des joueurs de «pool» du Canada. Après avoir vaincu les meilleurs joueurs du Canada, notamment Émile Lévesque, son adversaire le plus tenace, il décide de prendre part à un grand tournoi international devant se tenir à Buffalo, mais ce projet est abandonné. Déterminé à se mesurer avec les meilleurs joueurs de «pool» de l'Amérique, il part en tournée aux États-Unis et réussit à battre tous les adversaires qu'on lui oppose: Dunning et Bernier, les champions professionnel et amateur d'Albany, Burns de Chicago, John L. Laughlin de Mechanicville, Tom Selen Kid et Louis Kid de Boston[66]. Il réussit aussi à battre Geo. F. Smith, le champion de la Nouvelle-Angleterre[67] et W. Manning, alors ex-champion des États-Unis[68].

Le succès des champions Donoghue, Pelletier et Marcotte, à la fin du siècle, ne doit pas faire illusion. La réussite de ces joueurs n'est pas le résultat d'une organisation bien structurée et stable du jeu de billard et de «pool». Ces champions, tout comme les célèbres frères Dion, n'ont pas été sélectionnés parmi une masse de joueurs; ils ne doivent leur réussite exceptionnelle qu'à eux-mêmes.

NOTES

1. PEDRAZZANI, Jean-Michel. *Le Guide des jeux et des loisirs*. Paris, Cercle européen du livre, 1971, p. 326.

2. *The Encyclopedia Americana*. New York, The Americana Company, 1904.

3. WYKES, Alan. *Le jeu*. Paris, Tallandier, 1965, p. 75.

4. «Billard». *Bulletin des recherches historiques*. Vol. 1, juin 1895, n° 6, p. 94.

5. «Le jeu de billard». *Le Journal des Trois-Rivières*, 20 septembre 1888.

6. MASSICOTTE, E.-Z. «Le jeu de billard sous le régime français». *Bulletin des recherches historiques*. Vol. XXIII, mai 1917, n° 5, p. 153.

7. SÉGUIN, Robert-Lionel. *La civilisation traditionnelle de l'habitant aux XVIIe et XVIIIe siècles*. Montréal, Fides, 1967, p. 64.

8. DOUVILLE, l'abbé J.-A. Ir. *Histoire du collège-séminaire de Nicolet 1803-1903. Tome premier 1803-1860*. Montréal, Beauchemin, 1903, p. 75.

9. Ce don du gouverneur est peut-être à l'origine de l'acceptation, par le clergé, de la présence de table de billard et de «pool» dans les établissements scolaires; présence qui s'est perpétuée jusque dans les années 1950.

10. «Acte qui accorde à Sa Majesté un droit sur les licences de billard de louage et qui fait reglemens relatifs à y ceux». *Les statuts provinciaux du Bas-Canada*. Chap. XIII, 8 avril 1801.

11. «Billards». *La Gazette de Québec*, 29 janvier 1822, p. 2. «Billards». *Le Canadien*, 28 janvier 1832, p. 3. «Effet de la taxe sur les billards». *Le Canadien*, 24 avril 1843, p. 3. «Restaurant Francisco». *La Minerve*, 15 juin 1852, p. 3.

12. *The Encyclopedia America*. New York, The American Company, 1904. L'article est signé par Geo. F. Slossom, champion du monde dans les années 1880.

13. «Grande partie de billard». *La Minerve*, 13 août 1859, p. 2.

14. «Billard». *Le Canadien*, 21 juin 1871, p. 2.

15. (600 contre 543). *Le Canadien*, 31 mars 1875, p. 2.

16. «La partie de billard». *La Minerve*, 23 août 1859, p. 2.

17. «Défi au Billard». *La Minerve*, 15 novembre 1859, p. 2.

18. (Ce soir...). *La Minerve*, 28 avril 1864, p. 2.

19. «Billard». *La Minerve*, 4 mai 1864, p. 2.

20. «Billard». *La Minerve*, 25 avril 1865, p. 1 (annonce).

21. «Billard». *La Minerve*, 14 juillet 1865, p. 3. Le premier tournoi pour le championnat de l'Amérique eut lieu seulement deux ans auparavant à New York, du 1er au 9 juin 1863. MENKE, Frank-G. *The Encyclopedia of Sports*. New York, A. S. Barnes and Company, 5e éd., 1975, p. 209.

22. «Le Tournoi au Billard». *La Minerve*, 19 juillet 1865, p. 2.

23. (Une grande partie...). *La Minerve*, 20 octobre 1864, p. 2.

24. «Billard». *La Minerve*, 24 novembre 1864, p. 2.

25. Léon Trépanier a tracé une courte biographie de Cyrille Dion dans le tome IV de la série *On veut savoir*. Montréal, Éditions de l'homme, 1962, p. 211. Cyrille Dion est né le 22 mars 1843 à Montréal et est décédé le 1er octobre 1878 à l'âge de trente-cinq ans. Il aurait commencé à jouer au billard à l'âge de dix ans.

26. «Billard». *La Minerve*, 2 mai 1865, p. 2.

27. «Billard». *La Minerve*, 5 mai 1865, p. 2.

28. (Un télégramme...). *Le Canadien*, 19 janvier 1866.

29. «Joseph Dion et le billard». *La Minerve*, 31 mars 1866, p. 2.

30. «Billard». *La Minerve*, 5 avril 1866, p. 2.

31. «Grande partie de billard à Montréal». *Le Canadien*, 12 juin 1867, p. 2. «Billard». *La Minerve*, 10 décembre 1867, p. 9.

32. «Cercle de Québec». *Le Canadien*, 19 janvier 1870, p. 2.

33. «Retraite de Joseph Dion». *Le Canadien*, 14 avril 1869, p. 2.

34. (Les amateurs...). *La Minerve*, 14 février 1867, p. 3.

35. «Billards». *La Minerve*, 11 mai 1867, p. 4.

36. «La partie de billard». *La Minerve*, 11 janvier 1873, p. 1.

37. «Tournoi au billard». *Le Canadien*, 18 novembre 1874, p. 2.

38. «Billards». *Le Canadien*, 5 janvier 1875, p. 2.

39. (600 contre 543...). *Le Canadien*, 31 mars 1875, p. 2.

40. (Liste des licences...). *La Patrie*, 14 juillet 1888, p. 3.

41. Le mot «pool», entre guillemets apparaît dans *La Presse* en 1884. «Champion du «POOL». *La Presse*, 8 novembre 1884, p. 1. Les guillemets indiquent bien qu'il s'agit d'un mot étranger et nouveau pour le lecteur canadien-français.

42. «Champion du «POOL». *La Presse*, 8 novembre 1884, p. 1. «Le champion du «POOL». *La Presse*, 12 novembre 1884, p. 1.

43. «Notes locales». *La Presse*, 11 novembre 1884, p. 1.

44. «Billard». *La Presse*, 12 novembre 1884, p. 1.

45. «Tournoi de billard». *La Minerve*, 15 janvier 1886, p. 1.

46. «Concours de Billard». *Le Canadien*, 27 novembre 1884, p. 3.

47. (Nous avons...). *Le Canadien*, 1er février 1869, p. 2.

48. «Billard». *Le Courrier de Saint-Hyacinthe*, 26 janvier 1869.

49. «Billard». *La Minerve*, 14 juin 1877, p. 2.

50. «Billard». *La Minerve*, 15 juin 1877, p. 2. On peut avancer l'hypothèse que très peu de travailleurs assistaient aux tournois de billard car le prix d'entrée de

cinquante cents ou de un dollar correspond au salaire d'une demie ou d'une journée de travail de la plupart des hommes de métier à cette date.

51. «Billard». *La Minerve,* 14 juillet 1865, p. 3.

52. «Nouvelle salle de billard». *La Presse,* 10 octobre 1889, p. 4. Le propriétaire de cette nouvelle salle de billard, M. William Sipling, précise au rédacteur de *La Presse* qu'il veut faire de cette salle «un salon et non pas une saloon». La discrimination envers les femmes s'est perpétuée jusqu'à nos jours.

53. *Journal de la Chambre d'Assemblée du Bas-Canada,* depuis le 8 janvier jusqu'au 8 avril 1801 inclusivement. Québec, John Neilson, 1801, p. 309.

54. «Effet de la taxe sur les Billards». *Le Canadien,* 24 avril 1843, p. 3.

55. «Tournoi de billard». *La Minerve,* 15 juillet 1865, p. 2.

56. «Table de billard». *La Minerve,* 7 février 1867, p. 3.

57. «Billard». *Le Canadien,* 26 janvier 1870, p. 2.

58. «Le jeu de billard». *La Patrie,* 4 juin 1892, p. 4.

59. «Liste des parties de la Ligue canadienne». *La Patrie,* 4 décembre 1899, p. 2.

60. «Le billard». *Le Soleil,* 29 octobre 1900, p. 5. Cette ligue sera dissoute en 1902.

61. «La Ligue du district de Québec». *Le Soleil,* 30 octobre 1900, p. 7.

62. «Billard». *La Patrie,* 27 mai 1901, p. 2.

63. «Billard». *La Patrie,* 15 juin 1901, p. 12.

64. «Billard». *La Patrie,* 29 octobre 1901, p. 2. Le 28 octobre 1900, Donoghue ne l'emporte sur Marcotte que par trois points, dans une partie de deux cents points.

65. «Le champion Marcotte». *La Patrie,* 8 novembre 1904, p. 2.

66. «Le pool». *La Patrie,* 23 janvier 1901, p. 2.

67. «Pelletier vainqueur». *La Patrie,* 24 mars 1900, p. 2.

68. «Le pool». *La Patrie,* 16 octobre 1901, p. 2.

3
La boxe

«Face à face, levant leurs redoutables bras, mêlant leurs lourdes mains, l'un sur l'autre ils se ruent. À grand bruit l'on entend leurs mâchoires craquer. De leurs membres partout ruisselle la sueur. Le divin Épéros soudain s'élance et frappe à la joue Euryale, qui jette autour de lui des regards éperdus et ne peut plus tenir: ses membres éclatants se dérobent sous lui.»[1]

Cette description d'un pugilat, rapportée par le poète Homère (IXe-VIIIe siècle avant J.-C.), constitue un bon repère quant aux origines des combats à coups de poings et nous renseigne sur l'allure de ces rencontres. En fait, très peu de différence avec un combat de boxe ayant lieu en Angleterre, au XVIIIe siècle!

Prendre des coups et en donner, sans autres armes que ses poings et sans motif réel d'agression, ainsi peut-on résumer l'esprit de la boxe. Il faut admettre qu'il fallait un tour d'esprit assez particulier pour susciter et institutionnaliser ce genre d'amusement. Se battre pour le plaisir[2], dans le cadre d'affrontements aux poings, serait d'abord apparu en Angleterre au début du XVIIe siècle[3]. C'est là, en tout cas, que la boxe prit son élan décisif, largement favorisée par la haute aristocratie, friande de spectacles inédits et de paris énormes.

C'est aussi en Angleterre que les premières règles de la boxe furent édictées par Jack Broughton, en 1743, qui fut durant plusieurs années champion d'Angleterre[4]. Elles visaient, pour l'essentiel, à empêcher d'une part les spectateurs d'intervenir dans le déroulement d'une bataille et, d'autre part, à éviter que les organisateurs ne volent les combattants. Tout était permis, ou presque; prises de lutte, empoignades aux cheveux, etc. Cependant, il était interdit de frapper l'adversaire sous la ceinture et lorsqu'il

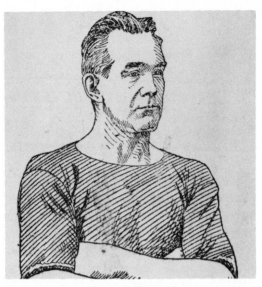

Joseph Ouellette

Aspirant au titre de champion poids lourd du Canada détenu par
M. Rooney.
La boxe. *La Patrie*, 17 juin 1901, p. 2.

était au plancher[5]. Les reprises, de nombre illimité, étaient d'une
durée variable, se prolongeant jusqu'à la chute d'un adversaire.
Les règles de Broughton ont été appliquées jusqu'en 1838, alors
qu'elles seront remplacées par le London Prize-ring Rules[6].

Au Québec, les origines de la boxe sportive remontent aux
alentours de 1820. Les premiers spectacles prennent la forme de
démonstrations éducatives où la boxe est présentée non pas
comme une activité sportive mais plutôt comme la «science mâle
et utile de la défense de soi-même»[7]. Ces apparences masquent
mal, toutefois, le caractère violent et sanguinaire de ces affrontements qui, non encore assujettis à des règles précises, faisaient
largement appel aux instincts brutaux des spectateurs et des
combattants. Les premiers combats de boxe ont donc lieu dans
un contexte général de réprobation, auquel se joignent les journaux québécois. *Le Canadien*, de la ville de Québec, affirme que
ce sport est un «amusement grossier» et souhaite une intervention
du Parlement pour mettre fin à «cet usage barbare»[8]. Plus tard, *Le
Courrier de Saint-Hyacinthe* qualifie la boxe de «lutte brutale et
stupide»[9]. Il est vrai que les protagonistes, surtout les premiers,

Un amusement grossier

M. O'Connell devait proposer une mesure pour empêcher les batailles de boxeurs. Cet amusement grossier est une tache sur le caractère anglais, qui aurait dû être effacée il y a longtemps. Dernièrement quelques-unes de ces batailles s'étaient terminées d'une manière fatale pour les combattants, et c'est sans doute ce qui a donné occasion à M. O'Connell d'appeler l'attention du Parlement sur cet usage barbare.

(M. O'Connell...). *Le Canadien,* 13 août 1834, p. 1.

qui s'illustrent dans ce sport au Québec, sont bien souvent de la mauvaise graine, comme partout ailleurs, semble-t-il: Sam O'Rouke périt assassiné[10]; Mike Walsh, lui, était un voyou de la pire espèce[11].

Cette réprobation générale de la part des dirigeants civils trouve sa justification dans la morale chrétienne. La boxe porte en effet atteinte au sixième commandement de Dieu: tu ne tueras point. Un chrétien, un catholique n'a pas le droit, selon sa religion, de mettre sa vie, ou celle des autres, en danger. C'est là une faute grave que l'Église condamne.

Pour comprendre les sentiments qui expliquent cette réprobation générale durant tout le XIXe siècle, il faut connaître, au moins sommairement, l'origine sociale des boxeurs et savoir comment se déroulent ces combats, surtout dans la première moitié du XIXe siècle.

Les combattants sont le plus souvent reconnus pour leur force, mais aussi pour leur violence et leur brutalité. De plus, les boxeurs sont, en général, des gens de «basses classes», certains sont des repris de justice, des malfaiteurs notoires, des vauriens ou des bagarreurs de rue à la moralité douteuse, ce qui n'est pas de nature à donner une honorabilité à ce sport qui ne bénéficie pas non plus, contrairement à ce qui se passe en Angleterre, de l'appui moral et financier d'aristocrates. Sans cet appui, la boxe peut difficilement se développer au Québec, surtout le genre de boxe qui s'y pratique alors. Les affrontements sont le plus souvent des combats à finir, c'est-à-dire à outrance; il faut qu'un des boxeurs soit assommé ou qu'il abandonne de lui-même. Il arrive que l'issue soit fatale pour l'un des boxeurs, ce qui soulève l'indignation et la réprobation. Certains combattants ne respectent même pas les règles élémentaires de la boxe alors connues, ce qui donne aux combats une allure déloyale, dégoûtante[12]. Les combats sont avant tout des manifestations de force, d'agressivité féroce et de violence, ce qui leur prête un côté inhumain, dégradant. Les pugilistes reçoivent tellement de coups à la figure qu'ils deviennent méconnaissables.

Il arrive aussi que le combat s'étende aux spectateurs et dégénère en bagarre générale. Aussi, afin d'éviter la présence des

Une lutte brutale et stupide

Mercredi dernier, il y a eu un combat en règle entre deux boxeurs émérites sur les Plaines d'Abraham; entre un nommé Johnny Bernard, barbier de son métier, et un matelot anglais, qui posait pour le biceps. Cette lutte, aussi brutale que stupide, a duré deux heures et demie.

Pendant ce temps, nos deux héros encouragés par les cris des brutes qui les entouraient, ont réussi à se noircir les yeux, à se mettre la figure rafitolade. On dit que Bernard a été déclaré vainqueur, attendu qu'il lui restait un lambeau de chair intact dans le visage.

«Pugilat». *Le Courrier de Saint-Hyacinthe,* 12 juillet 1870.

Wilfrid Thibault

Cet athlète, «doué de beaucoup de science et de capacité», s'est retiré de l'arène parce que son travail ne lui permet pas de suivre «un entraînement continuel».
La boxe. *La Patrie*, 16 avril 1901, p. 2.

tapageurs, le prix d'admission est fixé à un dollar[13], c'est-à-dire le salaire d'une journée de travail de bon nombre d'ouvriers[14].

Ce n'est qu'après l'élaboration des règles dites de Queensbury, en 1867, que les combats de boxe changent d'allure. Ces règlements[15] assurent une meilleure protection aux boxeurs qui, jusqu'alors, se battaient à poings nus, sans arrêt et sans aucune restriction dans les coups permis. Ces règles tendent à humaniser les combats, en excluant les brutalités et en imposant une certaine discipline, de sorte que les combattants ne soient pas de simples batailleurs.

Les règles dites du Marquis de Queensbury (1844-1900) sauvèrent in extremis la boxe d'une disgrâce définitive. En plus d'imposer aux combattants l'obligation de boxer debout (!), elles rendaient le port des gants obligatoire, fixaient la durée des reprises (trois minutes) et des intervalles de repos (une minute), introduisaient le compte des dix secondes après une chute, interdisaient les prises de lutte et réglementaient les dimensions de l'arène. Cet effort d'assainissement permit à la boxe de sortir de la clandestinité et les interdictions qui frappaient ce sport furent

Deux pugilistes:
Canadien vs nègre

Le fameux Gus Lambert, bien connu à Montréal par sa force herculéenne, vient de soutenir avec succès une lutte athlétique à Cohoes, où il a suscité de l'enthousiasme, comme s'il eût été un héros.

Il lutta contre un nègre à la taille de géant, nommé Jackson. Gus et le nègre se livrèrent quatre assauts. Le pari était que si Lambert n'était pas mis hors de combat, Jackson lui donnerait 100$.

Après avoir mis les gants, les deux combattants répondirent à l'appel et la lutte s'engagea. Lambert paraissait craindre son terrible adversaire et on remarquait une certaine hésitation dans l'attaque. Cependant cette hésitation ne fut que passagère et il se rua bravement sur Jackson, qu'il saisit dans ses bras puissants et il le broyait littéralement sur sa poitrine. Jackson étonné d'une pareille résistance sembla se décourager et il a fallu la force de plusieurs hommes pour arracher le nègre des bras de son adversaire. Au deuxième combat, tous les spectateurs étaient debout sur les chaises et criaient comme des enragés. Lambert rencontra Jackson et paralysa tous ses mouvements en le pressant avec force dans ses bras.

Au troisième assaut, l'excitation était à son comble. Jackson, voulant en finir avec Lambert, l'attaqua avec beaucoup d'énergie.

Celui-ci saisit le nègre à bras-le-corps, et par une feinte rapide allait le jeter en dehors de l'arène. Un combat terrible à coups de poing entre les deux champions s'engagea dans un coin, et quand ils revinrent au milieu de l'arène tous deux paraissaient bien essoufflés. Lambert porta un coup de poing au nègre et le fit chanceler.

Au quatrième assaut, la foule prise de délire brisa toutes les chaises qu'il y avait dans la salle, criait et vociférait d'une manière horrible. Une escouade de police armée était dans l'arène pour prendre part à la mêlée si elle avait lieu. Jackson se rua sur Lambert et lui porta plusieurs coups terribles, mais ce dernier ne broncha pas. Il saisit le nègre à bras-le-corps et l'emporta près des cordes pour le jeter en dehors de l'arène. Il aurait réussi si le temps réglementaire n'avait pas été appelé.

Les quatre assauts étaient finis et Lambert reçut les 100$. Il s'avança dans l'arène et il dit qu'il n'était pas en condition pour se battre, mais qu'il rencontrerait Jackson dans un mois, s'il le voulait, dans un combat à outrance jusqu'à ce que l'un des deux soit vaincu.

Jackson a refusé de donner la main à Lambert et il publie dans les journaux américains, un défi, offrant de parier 5 000$ contre 500$ qu'il peut battre ce dernier. On croit que les deux hommes se rencontreront bientôt.

Après le combat les amis de Lambert le portèrent en triomphe sur leurs épaules tout autour de la salle et il fut l'objet de vives félicitations.

«Deux pugilistes». *La Presse,* 13 mars 1890, p. 3.

progressivement levées. Curieusement, les Anglais commencèrent à bouder ce sport, devenu peut-être trop édulcoré à leur goût[16].

Après l'élaboration de ces règles, les combats de boxe changent de style. Des organisateurs et des amateurs font valoir que des progrès «ont été faits dans cette science» et que «ces combats n'offrent plus les inconvénients qui existaient autrefois»[17]. C'est désormais un art difficile qui exige un entraînement spécial[18].

Les règlements assurent donc une meilleure protection aux boxeurs, car ils excluent les brutalités et imposent une certaine discipline qui exige que les combattants ne soient pas uniquement des batailleurs. Cela entraîne naturellement un changement d'attitude chez les autorités civiles. En effet, une certaine tolérance vis-à-vis des combats de boxe, entre amateurs, apparaît à la toute fin du siècle. Il semble aussi que la notion d'amateur ait influencé ce changement d'attitude, car les «prize fight», c'est-à-dire les combats entre boxeurs professionnels sont toujours interdits.

Entre 1880 et 1890, malgré une réprobation encore vive en certains milieux[19], apparaissent les premiers éléments d'une structuration à l'échelle canadienne: détermination des catégories, organisation de divers championnats. Les combats se tiennent dans des salles ou des endroits habituellement connus du public (théâtre Maisonneuve, Parc Riverside, salle Giroux, l'Arsenal Victoria, théâtre Twin City, théâtre Royal, Parc Sohmer, gymnase de la MAAA à Montréal; salle Jacques-Cartier, Parc Savard à Québec). De toute évidence, le phénomène est très concentré dans la ville de Montréal.

Des Canadiens français commencent à s'y illustrer: ce fut d'abord Gus Lambert, entre 1884 et 1890, qui fut champion du Canada chez les poids lourds[20] et qui fonda une école de boxe, le Sporting Club[21]; vinrent ensuite Kid Lavigne, Eugène St-Martin, Arthur Brière, etc. En 1900, c'est un autre Québécois, Côme Leclerc, de Saint-Hyacinthe, qui détient le championnat «middleweight» du Canada[22]. C'est toutefois aux boxeurs américains les plus fameux du temps, tels les Sullivan, Corbett, Fitzsimons, Sharkey, Jeffries, que la presse québécoise accorde le plus d'attention[23].

ETATS-UNIS

FRONTIÈRE

CANADA

LA PARTIE DE BOXE QUI S'ORGANISE A LA FRONTIE

La boxe à la frontière

La boxe étant interdite tant au Canada qu'aux États-Unis, les promoteurs de ce sport violent imaginèrent d'organiser un combat à la
frontière. D'une part, les spectateurs n'assistant pas à un combat
se livrant en territoire américain échappaient aux lois américaines;
d'autre part, les boxeurs eux-mêmes étaient en sécurité. En effet,
des gardiens placés à divers endroits pouvaient prévenir les pugilistes pour que ceux-ci, d'un bond, sautent en territoire américain afin
d'éviter qu'ils ne soient arrêtés par les policiers canadiens.

«La boxe à la frontière». *La Patrie,* 16 septembre 1904, p. 10.

Les journaux ne donnent que très rarement des précisions sur le nombre de spectateurs qui assistent aux combats de boxe. Certains combats attirent cinq cents[24] et même jusqu'à deux mille personnes[25]. Par contre, certaines rencontres n'attirent qu'une centaine d'amateurs.

Mais les moralistes ne tiennent pas le même langage et ne partagent pas un tel engouement pour le noble art. En 1899, la «Citizen League» de Montréal et le journal *The Star* réussissent, par leurs interventions répétées auprès du conseil municipal, à empêcher la tenue des championnats du Canada à Montréal[26].

La boxe demeure à la fin du XIXe siècle le seul sport qui soit encore contesté et elle n'a pas encore atteint l'honorabilité dont jouissent la plupart des autres sports qui se pratiquent alors[27].

Que le *Star* se mêle
de ses affaires

Monsieur l'éditeur,

J'espère que ce titre ne fera pas tressaillir les gens du *Star,* pas plus que les membres de la *Citizen League* de Montréal. Il ne s'agit pas de ces combats *sanglants* qui alarment tant nos voisins de Montréal, mais bien d'une question de justice et de dignité pour la ville de Québec.

Nous n'avons pas l'habitude de nous mêler des affaires de la ville de Montréal, et il nous semble juste, en retour, qu'on nous laisse tranquillement administrer les nôtres.

Il a été question depuis quelque temps d'une exhibition de boxe, qui serait donnée à Québec, ce qui, de l'aveu de tout le monde, aurait amené ici une foule d'étrangers qui auraient laissé beaucoup d'argent parmi nous. Personne, que je sache, ne s'est alarmé de la chose, sauf le *Star* et ses congénères de Montréal. Ils n'ont pas eu de repos tant qu'ils n'ont pas obtenu une lettre de notre maire à l'effet que cette exhibition n'aurait pas lieu. Tout cela est pure hypocrisie de la part de ces farceurs.

Sans doute, la loi a été faite pour empêcher ces combats inhumains que l'on voyait autrefois et qui répugnaient à toute population civilisée. Grâce aux progrès qu'ils ont faits dans cette science, ces combats n'offrent plus les inconvénients qui existaient autrefois; témoin la dernière rencontre entre Corbett et Fitzsimmons. Le premier a succombé plutôt de fatigue qu'autrement, après avoir un peu saigné du nez. Qu'y a-t-il de révoltant là-dedans, même pour les *humanitaires* du *Star*?

Toutefois, si ces sortes d'exhibitions sont si *shocking*, pourquoi les tolère-t-on à Toronto? En effet, pas plus tard que le 2 octobre dernier, un vrai *prize fight* avait lieu dans la pudique ville de Toronto; l'enjeu était de 400$ et le combat s'est terminé après dix rondes. Le *Globe* et le *Mail* ont raconté au long cette rencontre des deux pugilistes. Et le *Star,* me demanderez-vous? Eh bien, le *Star* a lui aussi reproduit ce récit sans se voiler la figure.

Mais, il y a plus encore: ce même *Star,* dans son numéro du 28 octobre dernier, publiait ce qui suit:

«Le T. A. C. est à organiser une rencontre entre Frank Gavrard, de Chicago, et Matte Matthew, de New York, qui, il y a environ un mois, a rencontré le premier à Buffalo et l'a battu dans vingt rondes. Depuis ce combat Gavrard est désireux d'avoir une autre rencontre avec Matthew, et a exprimé son consentement à accepter les conditions proposées par le club local. On attend la réponse de Matthew.

«La lutte en vingt rondes entre McFadden et Popp au T.A.C., annoncée pour samedi prochain, va attirer de nombreux spectateurs. L'homme de Toronto se prépare activement au combat et assure qu'il sera à la hauteur de la situation.»

En effet, des milliers de spectateurs des États-Unis se proposent d'assister à cette exhibition scientifique.

Si la chose peut se passer à Toronto sans scandaliser le *Star,* pourquoi y aurait-il tant de mal à voir le même spectacle se donner à Québec? Est-ce que notre population n'est pas aussi intelligente, aussi respectueuse que celle de Toronto? Pourquoi alors priver Québec de l'aubaine que va recueillir la ville de Toronto? Personne ne s'est plaint ici, excepté le *Star*.

Pour ma part, je proteste contre ce journal qui veut ainsi nous faire la loi. A-t-on oublié qu'après l'éboulis de la rue Champlain, cette feuille avait payé quelqu'un pour aller effacer l'annonce que la maison Andrews avait fait placer à cet endroit? Il a fallu la patience, — je devrais plutôt dire la pusillanimité de notre population, — pour endurer une pareille insulte. Aujourd'hui, ce même journal veut encore nous dicter ce que nous avons à faire, comme si les autorités n'étaient pas capables de remplir leur devoir. C'est le comble du ridicule et de l'impertinence. Qu'on le remarque bien, ces mêmes exhibitions ont lieu en plein Broadway à New York et même à Londres. Qu'ont-elles de plus repoussantes que les joutes de *crosse,* de *football* dans lesquelles les gens se défigurent ou se cassent *les membres?* Dans le même temps où le *Star* se scandalisait à l'idée qu'il y aurait une rencontre à Québec, il publiait le récit de la mort d'un jockey qui s'était cassé le cou sur un hippodrome, à Montréal, après que son coursier s'était lui-même cassé deux pattes. Pour toute oraison funèbre de ce malheureux jockey, il ajoutait que sa mort allait déranger les courses qui devaient avoir lieu le samedi suivant!

Si l'on ne doit pas défendre les courses parce qu'un jockey se casse le cou de temps à autre, pourquoi empêcher les exhibitions de boxe parce que l'un des combattants saignera du nez?

Si nous laissons faire les gens du *Star,* ils finiront par demander le procès de Wolfe et Montcalm parce qu'ils se sont autrefois battus sur les plaines d'Abraham!

Que le *Star* se mêle de ses affaires et nous des nôtres, puis les moutons seront bien gardés.

Nos autorités municipales sont en mesure de faire respecter la loi sans l'intervention officieuse du *Star* qui ferait mieux d'employer son zèle à Toronto plutôt qu'à Québec qui ne croit pas dans la bigoterie sous quelque forme qu'elle se manifeste.

Un citoyen

Un citoyen. «À propos de boxe». *Le Soleil,* 3 novembre 1897.

NOTES

1. HOMÈRE. *Iliade.* XXIII.

2. «Fighting for the fun of it» est l'expression même de F. G. MENKE. *Encyclopedia of Sports.* New York, A. S. Barnes, 1947, p. 236. Figg a été le premier boxeur à être reconnu champion d'Angleterre, en 1719.

3. RUDETZKI, Maurice. *La Boxe.* Paris, Presses universitaires de France, 1974, p. 10.

4. CAILLOIS, Roger. *Jeux et sports.* Paris, Gallimard, 1967, p. 1269.

5. Les premiers boxeurs connus, Jim Fig et Jack Broughton, avaient la tête complètement rasée. On sait par ailleurs que le célèbre boxeur juif Mendoza perdit en 1785 un combat mémorable à cause de ses longues tresses: Jack Jackson le retint d'une main par les cheveux et lui martela le visage de l'autre poing pendant plusieurs minutes jusqu'au K.O. définitif. DAUVEN, Jean. *Encyclopédie des sports.* Paris, Larousse, 1961, p. 136.

6. En d'autres mots, la chute d'un combattant déterminait la fin d'une reprise. Le plus long combat a eu lieu à New Orleans, entre Andy Bowen et Jack Burke, en 1893. Après cent dix rondes, le combat, d'une durée de sept heures et dix-neuf minutes, a été déclaré nul. CUDDON, J. A. *The International Dictionnary of Sports and Games.* New York, Schocken Books, 1979, p. 135. ARLOTT, John. *The Oxford companion to Sports and Games.* Great Britain, Oxford University Press, 1976, p. 96.

7. «Pugilisme». *La Gazette de Québec,* 14 novembre 1822, p. 3.

8. (M. O'Connell...). *Le Canadien,* 13 août 1834, p. 1.

9. «Pugilat». *Le Courrier de Saint-Hyacinthe,* 12 juillet 1870.

10. «Meurtre supposé». *La Minerve,* 18 septembre 1845, p. 2. (O'Rouke...). *La Minerve,* 22 septembre 1845, p. 2.

11. «Pugilat». *Le Canadien,* 15 août 1884, p. 3. «Encore Mike Walsh». *Le Canadien,* 26 août 1884, p. 3.

12. «Pugilat». *Le Canadien,* 25 août 1893, p. 3.

13. «La boxe». *La Presse,* 13 mars 1885, p. 3.

14. DE BONVILLE, Jean. *Jean-Baptiste Gagnepetit. Les travailleurs montréalais à la fin du XIXe siècle.* Montréal, L'Aurore, 1975, pp. 87-90.

15. «La grande bataille des temps modernes. Les règlements qui seront observés». *Le Soleil,* 15 mars 1897.

16. Ou, au contraire, trop dangereux? Il semble que les gants protègent davantage le poing qui frappe que la victime du coup. La relative sécurité qu'assurent les gants aurait incité les boxeurs à la démesure; n'ayant plus à craindre pour leurs phalanges ou leurs poignets, ils auraient accru considérablement la violence de leurs coups. Cela expliquerait, en partie, que ce sport soit devenu plus meurtrier que jadis.

17. Un citoyen. «À propos de boxe». *Le Soleil,* 3 novembre 1897.

18. «La joute d'hier soir». *Le Soleil,* 18 octobre 1899, p. 8. Une certaine tolérance des autorités au sujet des combats de boxe se développe à la toute fin du siècle, mais elle ne s'exerce pas de façon générale. Le Montreal Sporting Club du boxeur et homme fort Gus Lambert bénéficie de cette tolérance.

19. À Montréal, la boxe est encore interdite en 1887: «Encore le Pugilat». *La Patrie,* 13 janvier 1887, p. 4. Il en est de même à Saint-Hyacinthe neuf ans plus tard: «Partie de boxe interrompue». *Le Courrier de Saint-Hyacinthe,* 19 mars 1896. *La Patrie* du 24 novembre 1899, p. 2, fait état des efforts d'une Ligue de citoyens pour «faire des misères» aux promoteurs des championnats amateurs du Canada, et rappelle que «d'après les règlements municipaux, aucune partie de boxe n'est à l'abri de la loi». La boxe est aussi interdite dans certains pays d'Europe, dont la France. «Les suites d'un combat de boxe». *La Patrie.* 13 mars 1900, p. 2.

20. «Gus Lambert». *La Presse,* 29 novembre 1884, p. 7.

21. «Sport». *La Patrie,* 2 juillet 1886, p. 4. L'homme fort, Louis Cyr, s'entraîne et exécute des tours de force au club de Gus Lambert, qui lui aussi donne des démonstrations de tours de force. *Le Canadien* du 27 juillet 1868, p. 2, «annonce l'ouverture prochaine d'une école de boxe à Montréal», mais je n'ai pas encore trouvé de document qui attesterait que cette école ait vraiment été ouverte.

22. «La boxe». *Le Soleil,* 15 décembre 1900, p. 9.

23. «La boxe». *La Presse,* 17 mars 1897, p. 4.

24. «La boxe à Saint-Henri». *La Patrie,* 22 avril 1901, p. 3.

25. Le combat entre Jim Clarke, de Montréal, et Côme Leclerc, de Saint-Hyacinthe, attire deux mille personnes. La rencontre, qui a lieu au Parc Savard de Québec, est sous la surveillance «d'un fort détachement de la police provinciale pour voir à ce que la joute ne dégénérât pas en bataille, mais ils n'ont pas eu besoin d'intervenir». «La joute d'hier soir». *Le Soleil,* 18 octobre 1899, p. 8.

26. «Ces tournois de boxe». *La Patrie,* 24 novembre 1899, p. 2.

27. «Sport». *La Patrie,* 3 juillet 1886, p. 4.

4

La crosse

L orsque des Français viennent s'établir en Canada au XVIIe siècle, les habitants, c'est-à-dire les différentes nations autochtones, s'adonnent à la crosse. À cette époque, les «Sauvages» pratiquent cette activité physique pour guérir un malade[1], pour influencer la température[2], ou encore en souvenir de quelque excellent crosseur décédé[3]. Cette activité apparaît être principalement une pratique religieuse bien intégrée à leur culture. On comprend ainsi pourquoi ils s'y adonnent avec tant de conviction. Les Français, tout comme les Anglais d'ailleurs, classent la crosse pratiquée par les autochtones parmi les jeux. Ils n'ont rien compris de son aspect religieux; les Jésuites considèrent même qu'ils n'ont ni Dieu, ni foi[4]. Parler de sport serait certes ramener une pratique religieuse à un divertissement profane pratiqué par l'homme blanc.

Si les Français qui immigrent au Canada observent et notent en détail la pratique de la crosse par les autochtones, il faut toutefois mentionner que des activités physiques analogues sont observées en France bien avant le XVIIe siècle[5]. C'est ce qui explique que le même vocabulaire soit utilisé pour désigner le *baggataway* des autochtones de l'Amérique du Nord[6].

Au Canada, il ne semble pas, sauf exception, que des Blancs aient pratiqué la crosse avant les années 1840, même s'ils connaissaient cette activité physique depuis plus de deux siècles[7]. En effet, jusqu'au milieu du siècle, la crosse est considérée par les Anglais comme étant un «jeu des Sauvages», pas suffisamment «fashionable». Les Canadiens ne s'y adonnent pas davantage. Nous sommes donc loin du «sport typiquement canadien» comme on l'affirme trop souvent[8].

Vers les années 1840, des «messieurs» anglais commencent à s'y intéresser en raison de l'aspect spectaculaire du jeu et parce que chaque partie leur fournit l'occasion de parier[9]. En 1856 se

La crosse jouissait de beaucoup de vogue.

La crosse chez les «Sauvages»
Reconstitution du jeu de crosse des «Sauvages» par C. W. Jefferys.
JEFFERYS, C. W. *The Picture Gallery of Canadian History,*
Toronto, Ryerson Press, 1942, vol. 1, p. 51.

Le jeu des contusions

Qui ne connaît le jeu de crosse? Voyez: deux partis de gamins sont rangés sur deux lignes, la crosse levée, l'oeil au guet, le visage enflammé; la balle frappée du but part comme l'éclair, vole, rebondit, revient, chassée violemment par la jeune troupe. Rien de plus fantastique, de plus bizarre, de plus fou, que les mille courses, les mille évolutions que déploient les joueurs! C'est une comète brutalement secouée en tout sens, et dont la longue queue prend les ondulations les plus capricieuses et les plus désordonnées. Pourquoi faut-il qu'ici bas les plus jolies choses aient leur côté maussade? Le jeu de crosse est le jeu des contusions par excellence. Il est rare que dans le cours d'une partie, quelque blessé ne se détache clopin-clopant de la petite troupe insensée. Et puis, gare aux passants! Malheureuse est la rencontre de la cheney; les coups de crosse vous arrivent dru comme grêle: malheur aux jupons surtout! Aussi nos édiles ont-ils défendu ce jeu dans les rues de Montréal et devraient-ils aujourd'hui le défendre sur le Champ-de-Mars, ou bien fermer celui-ci à la circulation publique. Tous les jours, de nombreuses et vaillantes parties de crosse s'engagent là où se déployaient jadis les lignes rouges des soldats d'Albion: encore une fois, malheur aux passants inattentifs! C'est ainsi qu'hier, une de mes amies reçut un violent coup de crosse heureusement amorti par sa crinoline; c'est ainsi qu'avant-hier, une autre demoiselle faillit se trouver enga-gée au milieu de gamins effrénés et peu galants: je n'en finirais pas, s'il fallait enregistrer ici tous les accidents, les éclaboussures, les frayeurs qui arrivent à toute heure aux passants du Champ-de-Mars. Je ne veux pas empêcher les jeux: loin de là! je voudrais seulement que la Police indiquât aux jeunes un lieu plus sûr, si lieu sûr il y a dans Montréal.

                                        Mme A. V. R.

A. V. R. (Mme). «C'est dommage!» *La Minerve,* 7 novembre 1857, p. 2.

forme le premier club de crosse, The Lacrosse Club of Montreal, à l'initiative d'Anglais et d'Écossais. Puis d'autres clubs anglophones sont formés (Beaver, Young Montréal). Les Canadiens français, eux, forment leurs propres clubs, une douzaine d'années plus tard[10].

C'est aussi à un Anglais, le docteur Georges Beers, que la crosse doit ses premiers règlements. Élaborés en 1859[11], ils avaient pour fonction de donner une forme sportive à cette activité physique; de rationaliser l'agressivité des joueurs et ainsi rendre la crosse «fashionable», c'est-à-dire conforme aux valeurs sportives qui, elles, font partie intégrante du mode de vie des bourgeois et aristocrates anglais. Dans son livre, publié la première fois en 1869, Beers exprime clairement la différence entre le «jeu des Sauvages» et le «sport» pratiqué par les Anglais de Montréal:

«... the Indian never can play as scientifically as the best white players, and it is a lamentable fact, that Lacrosse, and the wind for running, which comes as natural to the red-skin as his dialect, has to be gained on the part of the pale-face, by a gradual course of practice and training. All Indians are not good players, but I never yet knew one without an aptitude for the game...»[12].

Beers n'est pas le seul à se rendre compte que la pratique de la crosse chez les autochtones n'a rien du sport tel que conçu par les aristocrates anglais. Un auteur anonyme apporte ce témoignage plutôt chauvin:

«... it was a game midway between a sport and a deadly combat, often lasting three or four days, and joined in by several hundred players, while now it is simply a healthy sport, played by twenty-four to forty-eight players».

Ce sont les règlements élaborés par des anglophones qui ont transformé cette activité «barbare» en un amusement «civilisé»[13], c'est-à-dire pratiqué à la manière anglaise. Noblesse oblige. Beers propose aussi que le sport de la crosse soit considéré comme le sport national du Canada. En cette époque précédant la Confédération, les anglophones du Canada, face à la menace américaine, développent des attitudes nationalistes et cherchent à se distinguer par des éléments culturels différents de ceux appartenant à la

Les Anglais contre les Iroquois
Cette partie de crosse met aux prises le club de Montréal et les
«Sauvages» de Caughnawaga. Si les Iroquois jouent pieds nus, ils
portent cependant une casquette.
L'Opinion publique, 23 juin 1870, p. 196.

culture américaine. Tel est le fondement de la proposition du docteur Beers.

Élaborés en 1859, ces règlements sont adoptés par la National Lacrosse Association of Canada dès sa fondation en 1867. Déjà à cette date, l'Association compte plus de deux mille trois cents membres et le nombre de crosseurs au Canada est évalué à vingt mille[14]. Cette uniformisation des règlements fut déterminante pour l'expansion de ce sport au Québec, puis au Canada tout entier. Il convient de souligner que la crosse est le premier sport d'équipe à être organisé au Canada, avant le football, le baseball et au moins vingt ans avant le hockey[15].

Comme pour les autres sports, le club est aussi la cellule de base de la crosse[16]. Après 1860, ils se multiplient dans les villes de Montréal, Québec, Trois-Rivières et Saint-Hyacinthe. Montréal peut être considérée comme étant la métropole de la crosse; c'est dans cette ville, alors en majorité anglaise, que ce sport a pris naissance et c'est de ce foyer qu'il se propage.

En effet, c'est à partir de Montréal que la crosse, dans sa forme sportive, va s'étendre à travers le Québec, le Canada[17], l'Angleterre, la France et les États-Unis d'Amérique. Dès 1867, W. B. Johnson de Montréal se rend en Angleterre et en France avec dix-huit Iroquois de Caughnawaga pour donner quelques démonstrations de crosse[18]. L'année suivante, des crosseurs Anglais font une tournée aux États-Unis et au Canada[19]. En 1871, le club irlandais de Montréal, le Shamrock, et le club Iroquois de Caughnawaga vont jouer une partie de crosse à Saratoga, dans l'État de New York[20]. Un anglais, M. J. Weir, de Montréal, va même organiser un club à Glasgow, en Écosse. Des clubs sont aussi formés à Londres[21].

Nous ne disposons pas encore des données qui permettraient d'établir le nombre de Canadiens français qui s'adonnaient à la crosse au XIXe siècle. Si le nombre de Canadiens français dans les clubs «majeurs» est significatif, il faut bien admettre que leur présence dans ce sport, comme dans bien d'autres, est plutôt réduite.

Le premier club «important», composé de Canadiens français, le Champlain de Québec, dont la devise est «celer et audax»

Association nationale du jeu de «crosse» en Canada

Montréal, 25 et 26 septembre 1868

L a seconde convention générale et annuelle des différents clubs de crosse du Canada s'est réunie, ce matin, en cette ville, sous la présidence de M. Hughes, Ecr. Les délégués de l'Ouest et des Provinces maritimes arrivaient à temps pour permettre à l'association de commencer ses travaux, sur les 10 heures du matin, à la Salle de lecture des Marchands.

On estime à une centaine le nombre des délégués présents. Plus de soixante clubs, dont six de Québec, faisaient partie de cette association. On évalue à deux mille trois cent neuf le nombre de joueurs de «crosse» reconnus par la Convention, et quinze à vingt mille crosseurs, de par toute la Puissance. Les minutes de la dernière assemblée sont lues et approuvées, ainsi que les rapports du Secrétaire et du Trésorier. La première discussion orageuse qui s'éleva, fut à l'endroit des clubs de sauvages, que l'on proposait d'admettre gratis dans la Convention, avec le privilège d'y envoyer un seul délégué. Le vote ayant été demandé, la résolution passa dans l'affirmative. On nomma un comité de cinq membres, chargé d'examiner un travail sur le jeu de «crosse», préparé par le Dr. Beers de Montréal, l'habile secrétaire de la Convention. Ce travail a excité l'admiration de tous les délégués, et le comité a fortement recommandé de le .publier sous les auspices de la convention générale, en laissant toutefois à l'auteur tout le mérite et les honneurs qui lui reviennent exclusivement de cet excellent ouvrage.

L'œuvre de M. Beers est le premier ouvrage qui traite du jeu de «Crosse», et les conseils d'un des plus habiles joueurs qui existent, ne peuvent manquer d'être utiles à tous ceux qui voudront se livrer, dans la suite, au jeu le plus populaire et le plus en vogue actuellement en Canada. J'en parlerai plus au long, lors de son apparition. Plusieurs clubs comptent près de cent membres.

Les membres du club de crosse Champlain apprendront sans doute avec plaisir que leur club est le premier en nombre, sur la liste des clubs de la Puissance, suivi, je crois, du Montreal club. Trois longues séances ont été presque entièrement consacrées à la discussion et à la sanction, clause par clause, des additions, amendements et nouvelles lois, rapportées par le comité nommé à cet effet. Il fut ensuite résolu que l'on procédât à l'élection des officiers du club et d'un conseil pour l'année courante. Le Président et le premier Vice-Président, étant l'année dernière choisis dans la Province de Québec, les Haut Canadiens ont, avec raison, réclamé cet avantage ou faveur pour cette année. La seconde Vice-Présidence et d'autres sièges dans le conseil, devant appartenir à la Province de Québec. On procéda à l'élection qui se termina comme suit:

Président Honoraire – M. Hughes. Ecr; Montréal.
Président actif – W. D. Otter, écr, Toronto.
1er vice-présid. – Dr. H. Garret, Belleville.
2e do. – F. E. Alf. Evanturel, écr., Québec.
3e do. – M. Tobin, écr., Halifax, N. E.
4e do. – Dr. Allen, Cornwall.
Trésorier – T. W. Maltby, écr., Montréal.
Secrétaire – Dr. W. George Beers, Montréal.

Le docteur Parke de Québec, des délégués d'Ontario, de la Nouvelle-Écosse et du Nouveau-Brunswick forment un conseil de quinze membres, dont les officiers de l'association nationale sont membres ex officio. Après trois longues séances et de nombreux comités, la seconde convention générale des clubs de «Crosse» du Canada fut déclarée close par le «Dieu sauve la Reine», la prochaine réunion des délégués devant avoir lieu à Toronto.

Le samedi après-midi fut consacré à deux excellents concours, sur la magnifique terrain de «Montreal club». La plus importante partie de «Crosse» qui fut encore jouée en Canada ou plutôt en Amérique, a eu lieu devant l'élite de la société montréalaise. On voyait sur ce spacieux terrain, les plus beaux équipages et une grande foule de piétons.

Les amateurs du jeu national se rappellent que douze sauvages de Caughnawaga ont battu les douze premiers du «Montreal club» (le plus fort qui existe) dans trois parties consécutives. Cet automne, on a réuni les douze meilleurs du Canada, en choisissant parmi les délégués, pour venger les blancs. Après une lutte acharnée d'une heure et dix minutes, la victoire est encore restée aux sauvages. On joua ensuite le concours «Province de Québec versus Province d'Ontario», qui n'était pas encore terminé au départ du vapeur, samedi soir, malgré plus d'une heure de contestation.

«Association nationale du jeu de «crosse» en Canada», *Le Canadien*, 28 septembre 1868, p. 2.

Les Irlandais contre les «Sauvages»
Partie de crosse entre les «Sauvages» de Saint-Régis et les Irlandais du club Shamrock de Montréal. Les «Sauvages» jouent pieds nus alors que les Irlandais ont des chaussures spéciales et portent un chapeau pour se protéger contre les rayons de soleil.
L'Opinion publique, 15 août 1872, p. 389.

(rapide et audacieux), n'est formé qu'en 1868[22]. Lorsque les organisateurs canadiens organisent des compétitions à l'étranger, ils
font toujours appel à des clubs composés d'anglophones ou
d'autochtones, surtout des Iroquois. L'origine ethnique des
joueurs qui composent les clubs illustre la présence négligeable
des Canadiens français. En 1895, le club de Saint-Hyacinthe, ville
à quatre-vingt-dix-sept pour cent canadienne-française, compte
quatre Anglais et huit Canadiens français[23], tandis que les
Orients de Montréal ne comptent qu'un seul Canadien français
dans leur équipe[24]; le club Garnets de Montréal n'en a aucun[25];
celui des Trois-Rivières, qui est pourtant une ville à très forte
majorité francophone, est à cinquante pour cent anglais[26]. Aussi,
un amateur de la ville de Québec se demande «pourquoi n'y a-t-il
pas plus de jeunes canadiens-français qui s'exercent à la
crosse»[27]. En 1900, lorsque les clubs Valleyfield et Delorimier,
deux clubs «exclusivement canadiens-français», se rencontrent, il
s'agit d'un «spectacle nouveau»[28].

Le National de Montréal, qui devait être composé uniquement de Canadiens français, compte plusieurs anglophones
parmi ses joueurs. Aux diverses critiques qu'ils reçoivent à ce
sujet, les directeurs du club répondent qu'il vaut mieux avoir une
équipe gagnante qui comprenne plusieurs Anglais, qu'une équipe
perdante comprenant presque exclusivement des Canadiens
français[29]. Cette volonté de constituer des équipes de crosse
composées exclusivement de Canadiens français est méprisée
par les journaux anglais[30]. L'esprit du sport n'a que faire du nationalisme. Que le meilleur gagne!

Bien que ces quelques données soient nettement insuffi-
santes pour mesurer l'importance de la présence des Canadiens
français dans ce sport, elles permettent toutefois d'affirmer que la
très grande majorité des joueurs et des organisateurs de crosse au
Québec sont des anglophones.

L'organisation du sport de la crosse comprend plusieurs
ligues de calibres divers. La Vieille Ligue dont on ignore pour le
moment la date de formation compte six clubs. Ce sont le Capital
d'Ottawa, le National de Montréal, seul club composé majoritairement de Canadiens français, le Shamrock, club irlandais très
populaire et l'un des meilleurs à l'époque, le Montréal, le Cornwall

Une partie de crosse sur la glace
Si la crosse se joue aussi sur la glace, elle sera remplacée par le hockey dans les dernières décennies du siècle. La crosse deviendra le sport national d'été.
«Une partie de crosse sur la glace». *L'Opinion publique,* 16 février 1882, p. 78.

et bien sûr, le Toronto[31]. Cette ligue est de calibre senior; la meilleure équipe reçoit la coupe Minto, emblème comparable à la coupe Stanley pour le hockey[32], décernée par Lord Minto, gouverneur général du Canada.

Il existe aussi une Ligue Interprovinciale dont le nombre de clubs qui en font partie varie d'une année à l'autre. En 1900, la division de l'Ouest comprend le National II, Valleyfield, Pointe Saint-Charles et Cornwall II, alors que les clubs Shamrock II, Sherbrooke, Montréal II et Québec composent la division de l'Est[33].

À Montréal, il existe une Ligue canadienne-française composée des clubs Boulevard, Jeune Montréal, Saint-Louis et Saint-Joseph, organisation qui ne semble pas avoir eu une longue existence[34].

La crosse est certainement l'un des sports d'équipe les plus populaires durant la deuxième partie du XIXe siècle, mais l'arrivée et l'expansion du cyclisme[35], du baseball qui «attirent des foules nombreuses le dimanche[36]» et du football[37] réduisent la popularité de ce sport. Face à ce déclin de la crosse, il semble que ce soient des Canadiens français qui entreprennent de la «ressusciter[38]». La dernière tentative date de 1965 alors que le projet de loi C-3 déposé à la Chambre des Communes n'a pas connu de suite[39]. Toutes les tentatives pour faire de la crosse le sport national du Canada ont échoué.

NOTES

1. DE BRÉBEUF, Jean. «Relation de ce qui s'est passé dans le pays des Hurons en l'année 1636». *Relations des jésuites*. Tome 1: *1611-1636*. Montréal, Éditions du Jour, 1972.

2. LE MERCIER, François-Joseph. «Relation de ce qui s'est passé en la Nouvelle-France, en l'année 1637». THWAITES, Reuben Gold (éd.). *The Jesuit relations and allied documents. Travels and explorations of the Jesuit missionnaries in New Franche, 1610-1791, the original French, Latin and Italian texts, with English translations and notes; illustrated by portraits, map and facsimiles*. Vol. XIV: *Hurons and Québec 1637-1638*. Cleveland, The Burrows Brothers Company, 1896-1901, p. 76.

3. «Lettre du P. François du Peron, de la Compagnie de Jésus, au P. Joseph-Imbert du Peron, son Frère, Religieux de la même compagnie, 27 avril 1639». THWAITES, Reuben Gold (éd.). *Op. cit*, supra, note 2, vol. XV: *Hurons and Québec 1638-1639*, p. 178.

4. Lire, entre autres, la relation du Père Paul Ragueneau, s.j., pour l'année 1650.

5. Il semble bien que ces Français connaissaient une activité physique analogue à la crosse pratiquée par «les Sauvages». Cela reste à vérifier, mais il convient de souligner immédiatement que RABELAIS (1494-1543) mentionne «la crosse» parmi les jeux auxquels s'adonne Gargantua. RABELAIS, François. *Gargantua*. Paris, Armand Collin, 1957, p. 97. (Texte établi et présenté par Pierre Grimal).

6. ASSINIWI, Bernard. *Histoire des Indiens du Haut et du Bas-Canada*. Tome 1: *Mœurs et coutumes de Algonkins et des Iroquois*. Montréal, Leméac, 1973, p. 48. En 1908, un amateur prétend que la crosse a été introduite en Nouvelle-France par Champlain «comme moyen de rapprochement social entre les Européens et les Indiens». GRIFFARD, Jules. *La Presse*, 14 mars 1908, p. 4. Cette allégation est évidemment sans fondement.

7. Probablement en raison du fait justement qu'il s'agissait d'une pratique dite païenne, réprimée par le clergé catholique.

8. DE ROUSSAN, Jacques. «La crosse il y a 100 ans». *Perspectives*, 2 août 1975, p. 14, 15.

9. «Jeux des Sauvages». *La Minerve*, 9 septembre 1850, p. 2. Les aristocrates anglais ont une longue tradition à ce sujet. Pour le plaisir et le pari, ils favorisent l'organisation de combats sanguinaires aussi bien entre des êtres humains que des bêtes (pugilat, combats de coqs, de chiens, etc.). ROXBOROUGH, Henri. «Bair Baiting». *The Sporting Magazine*, London, January 1795, p. 204. «A Rat-Killing Match», *The Sporting Magazine,* London, Vol. XVI, September 1825, no XCVI, p. 374.

10. «Club de crosse Champlain». *Le Canadien*, 15 mai 1868, p. 2. Le club Champlain semble être le premier club de crosse canadien-français. En 1868, il compte déjà cent six membres.

11. McNAUGHT, W. K. *Lacrosse How to Play it*. Toronto, Belford, 1859, p. vi.

12. BEERS, W. G. *Lacrosse: national game of Canada*. Montréal, Dawson Brothers, 1879, p. XIII.

13. «Lacrosse». *The Canadian illustrated News*. April 15, 1876, p. 243.

14. «Association nationale du jeu de «crosse» en Canada». *Le Canadien*, 28 septembre 1868, p. 2.

15. Des parties de cricket ont été jouées avant la crosse, c'est-à-dire avant 1840, notamment à Sherbrooke, mais ce sport ne connaîtra pas l'organisation que l'on constate pour la crosse.

16. Si le club est l'organisation privilégiée pour l'apprentissage de la crosse, les enfants, eux, n'attendent pas de faire partie d'un club et s'en donnent à qui mieux mieux dans les rues, au grand découragement des passants. Mme A.V.R. «C'est dommage». *La Minerve*, 7 novembre 1857, p. 2.

17. En 1860, les joueurs de crosse de Toronto doivent faire venir leurs bâtons de crosse de Montréal. ROXBOROUGH, Henry. *One hundred-not out. The Story of Nineteenth-Century Canadian Sport*. Toronto, The Ryerson Press, 1966, p. 40.

18. BEERS, W. G. *Op. cit*, supra, note 12.

19. (Les crosseurs anglais...). *La Minerve*, 3 septembre 1868, p. 3.

20. BEERS, W. G. *Op. cit*. supra, note 12, p. 2.

21. *Ibidem*, p. xiii.

22. «Assemblée semi-annuelle du club de crosse «Champlain». *Le Canadien*, 6 novembre 1868, p. 2. Le club aurait été formé au mois de mai 1868.

23. «Lacrosse». *Le Courrier de Saint-Hyacinthe*, 13 août 1895. À remarquer que ce journal utilise l'orthographe anglaise sous l'influence de la presse anglophone de Montréal.

24. «Partie de lacrosse». *Le Courrier de Saint-Hyacinthe*, 25 juillet 1895.

25. «Lacrosse». *Le Courrier de Saint-Hyacinthe*, 13 août 1895.

26. «Aux Trois-Rivières». *Le Courrier de Saint-Hyacinthe*, 27 août 1895.

27. Amateur. «Sport». *Le Soleil*, 28 juin 1899, p. 4.

28. «Valleyfield vs Delorimier». *La Patrie*, 16 juin 1900, p. 2.

29. «Tribune libre». *La Patrie*, 25 octobre 1899, p. 2.

30. «La crosse». *La Patrie*, 12 octobre 1899, p. 2.

31. «Les ligues de crosse». *La Patrie*, 14 mai 1900, p. 2.

32. «Choses du sport». *La Presse*, 19 décembre 1903, p. 21.

33. *Op. cit*, supra, note 31.

34. «La ligue canadienne-française». *La Patrie,* 6 avril 1900, p. 2.

35. «La crosse». *La Patrie,* 11 août 1899, p. 2.

36. «La crosse». *La Patrie,* 22 août 1899, p. 2.

37. «Les parties finales». *La Patrie,* 9 octobre 1899, p. 2.

38. «La crosse». *La Patrie,* 30 août 1899, p. 2.

39. «Gérard Laniel, m.p., fait l'histoire de la crosse». *Le Progrès de Valleyfield,* 16 juin 1965, p. 12.

5

Le cyclisme

Vélocipède[1], bicycle[2], bicyclette[3]. Les fervents de la pédale du siècle dernier ont vu le vocabulaire relatif à leur machine se transformer au rythme même des modifications et perfectionnements techniques que celle-ci a connus.

Le vélocipède est né en France au début des années 1860 de l'ancienne draisienne inventée par le Baron Drais Von Sauerbronn en 1816[4], à laquelle le mécanicien français Pierre Michaux (1813-1883) eut l'idée d'ajouter, à une draisienne qu'il avait à réparer, une paire de manivelles et de pédales[5]. C'était, tout comme le tricycle d'enfant encore aujourd'hui, une «traction avant» dont la vitesse était fonction de la taille de la roue motrice. Celle-ci en vint à dépasser cinq pieds de hauteur. En 1868, un autre Français, l'ingénieur Clément Ader, qui est considéré comme étant «le père de l'aviation», allégea cette machine, dont le poids était de vingt-cinq à quarante kilos, en utilisant des tubes de métal pour le corps du vélocipède[6]. Puis vint d'Angleterre en 1880 une autre transformation importante: la roue motrice arrière grâce à une transmission par chaîne. Dès lors, la roue avant n'avait plus à être aussi grande et la bicyclette (deux roues de diamètre égal) pouvait apparaître. L'ère du grand Bi était achevée. Entre-temps, plusieurs autres améliorations techniques avaient vu le jour: jantes creuses pour recevoir un bandage de caoutchouc plein, frein sur jantes, roulement à billes, roue libre; puis innovation capitale, celle du pneumatique en 1887, par l'Écossais John Boyd Dunlop (1840-1921)[7]. Les éléments essentiels de la bicyclette moderne étaient dès lors constitués[8].

Dès 1868, alors que le vélocipède est encore au stade expérimental en France et un an avant le Salon de Paris qui devait susciter l'engouement des Parisiens pour le vélo, «cette curieuse petite machine» fait son apparition à Québec. En effet, Édouard Gingras, fabricant de voitures, construit son propre vélocipède sur

Les premiers vélocipédistes
Les premiers vélocipédistes sont perçus comme des excentriques.
Cette caricature, la première à être publiée au Québec sur ce sujet,
se moque des vélocipédistes, ces «imbéciles à deux roues».
«A Race with Wheels». *Canadian Illustrated News,* December 11,
1869, p. 96.

Le premier vélocipède

N otre entreprenant compatriote, M. Édouard Gingras, vient de construire un magnifique vélocipède, sur le principe de celui des frères Hanlon.

En France, cet appareil de locomotion est devenu tout à fait populaire, surtout à Paris.

Nous devons à la récente visite des frères Hanlon, à Québec, le modèle de cette curieuse petite voiture que l'on verra, au printemps, franchir rapidement la distance qui nous sépare de l'Église Ste-Foye. Ça remplacera peut-être les régates, les paris seront pour le moins aussi considérables, et nous n'aurons pas, cette fois, à tenir compte de singulières règles, quant au tonnage.

Le mécanisme est des plus simples; deux trains, celui de l'arrière, — une ou deux roues, — et le siège du vélocipédiste au centre, et une roue à l'avant. L'impulsion est donnée par une manivelle, à l'extrémité de l'axe de la roue de l'avant, que pressent les pieds du conducteur.

M. Gingras (notre premier vélocipédiste) essayait, mardi dernier, sur la Terrace, sa nouvelle construction, au milieu d'une foule de spectateurs ébahis. Ne fût-ce que pour la figure bien connue de son conducteur, on eût cru à une seconde visite des frères Hanlon.

«Le vélocipède». *Le Canadien,* 30 octobre 1868, p. 2.

le modèle de celui des frères Hanlon, venus de France pour faire une démonstration de leur vélocipède. *Le Canadien* de la ville de Québec nous donne une courte description de ce qui pourrait être le premier vélocipède construit au Québec:

«Le mécanisme est des plus simples; deux trains, celui de l'arrière – une ou deux roues, et le siège du vélocipède au centre, et une roue à l'avant. L'impulsion est donnée par une manivelle, à l'extrémité de l'axe de la roue de l'avant, que pressent les pieds du conducteur[9].»

C'est donc sous l'influence française que se fait l'intégration du vélocipède au Québec, alors que la plupart des autres activités physiques (football, hockey, boxe, etc.) sont introduites par des Anglo-Saxons.

Après avoir donné plusieurs démonstrations sur la terrasse Frontenac, principal lieu de rencontres estivales de la population de la ville de Québec, «notre premier vélocipédiste» ouvre sans tarder une école rue Sainte-Anne, dans la Haute-ville[10]. Mais Gingras s'est laissé prendre de vitesse par deux Américains qui, quelques jours avant lui, ouvrent une école de vélocipède «dans la salle de musique, rue Saint-Louis[11]». Le rédacteur du journal *Le Canadien* ne se gêne pas pour exhorter ses lecteurs, amateurs de vélocipède, qui ne sont que quelques dizaines, à se faire «un devoir d'encourager préférablement un de nos citoyens, plutôt que des étrangers[12]»... Il en coûte alors quarante centins l'heure pour s'exercer et dix pour voir le spectacle. Le prix d'un vélocipède est de 100$, de 175$ même, s'il est importé de France[13]. Comme on peut le constater, le vélocipède est un «sport» de grand luxe que seuls des membres de «la jeunesse fashionable» peuvent se permettre[14]. En effet, le salaire d'un travailleur est alors de 10 cents l'heure. Pour s'acheter un vélocipède, un ouvrier aurait eu à verser l'équivalent de quatre mois de salaire. Même la location d'un vélocipède lui est pratiquement inaccessible. Quarante centins l'heure... c'est trop cher pour l'ouvrier.

Selon le rédacteur du *Canadien*, ces écoles de vélocipède permettent à de «nombreux jeunes gens», en fait à une quarantaine, de s'adonner à un «excellent exercice corporel» et de développer chez eux l'esprit de compétition. Aussi des courses sont organisées pour les «nouveaux athlètes». Le demi-mille est parcouru en

Une école de vélocipède

Nous attirons l'attention spéciale de nos lecteurs sur une annonce de M. George Gingras qui vient d'ouvrir une nouvelle école de vélocipède dans sa maison rue Sainte-Anne n⁰ 22. Cet exercice d'un nouveau genre menace de dépasser tous les autres amusements ce printemps; les amateurs devront donc se faire un plaisir, sinon un devoir d'encourager préférablement un de nos citoyens, plutôt que des étrangers, vu que les mêmes commodités et une attention toute spéciale seront donné à ceux qui doivent apprendre à se servir de ce nouveau genre de locomotion. La salle d'exercice située au-dessus du magasin de voiture est plus grande que la salle de musique. Le prix demandé pour exercer est de 40 centins l'heure, et 10 autres pour être admis dans la salle.

(Nous attirons l'attention...). *Le Canadien*, 10 mars 1869, p. 3.

Les vélocipèdes à patins
Les premiers vélocipèdes québécois sont construits à la fin des années 1860. Dès 1870, ce véhicule, qui est d'abord conçu pour le plaisir, est expérimenté sur la glace près de Montréal. L'invention n'a pas connu un très grand succès.
L'Opinion publique, 19 février 1870, p. 52.

deux minutes trente-six secondes[15]. Mais déjà la même année, Cyrille Duquet, champion de la ville de Québec, réussit à franchir cette distance en une minute, dix-neuf secondes. Cette performance est la plus remarquable et la plus étonnante encore atteinte au pays[16]. Le mille est franchi en trois minutes, dix-huit secondes[17].

L'absence de macadam sur les routes vaut toutefois à cet engin les critiques des hygiénistes inquiets des trépidations qu'ils jugeaient susceptibles de «produire après une répétition un peu fréquente», soit un ébranlement des centres nerveux[18]. Aussi, jusque vers les années 1880, le vélocipède circule principalement sur des pistes spécialement aménagées ou dans des salles d'exercice conçues à cette fin[19]. Il semble bien que Saint-Hyacinthe soit la première municipalité où le conseil est intervenu pour aménager une piste cyclable[20].

Durant la décennie 1870, si l'on en croit les journaux de l'époque, le vélocipède aurait connu moins de vogue pour accuser une remontée de popularité à partir des années 1880. La bicyclette a alors remplacé le vélocipède. En effet, le regain d'intérêt pour la bicyclette est certainement dû aux importantes améliorations techniques qui lui sont apportées et qui en font dorénavant un véhicule plus léger et plus rapide, tout en étant plus facile à utiliser. La bicyclette permet de meilleures performances et devient accessible à un plus grand nombre de personnes, y compris les femmes. À la fin du siècle, il est possible d'acheter une bicyclette neuve pour vingt-cinq dollars[21], et une «de seconde main» pour cinq dollars[22]. Désormais, l'ouvrier des villes peut espérer posséder une bicyclette.

Au début des années 1880, des clubs de bicyclistes se forment à Québec[23], Montréal[24] et Saint-Hyacinthe où existe le meilleur rond de la Puissance[25] et peut-être de l'Amérique[26]. La principale activité de ces clubs consiste à organiser des promenades et des excursions à l'extérieur de la ville. Les compétitions sont rares.

En 1886 se tient à Montréal la première convention des clubs de vélocipède du Canada, sous l'autorité de la Canadian Wheelmen's Association, fondée à Toronto en 1882. Le programme comprend des courses, une promenade au parc du Mont-Royal,

Courses de vélocipèdes le dimanche
Les amateurs du vélocipède organisent des courses le dimanche
alors qu'ils devraient consacrer cette journée au Seigneur et
s'abstenir de divertissements qui offensent la morale chrétienne.
«Remember the sabbath day to keep it holy». *Canadian Illustrated
News*, October 22, 1870, p. 268, 269.

Une vingtaine de bicyclistes à Québec

À six heures et demie, ce matin, il y avait rendez-vous d'amateurs du bicycle sur la Terrasse Frontenac.

Ils étaient au nombre de douze, et pendant une heure environ, on les a vus s'en donner à qui mieux mieux sur leur étrange véhicule.

Le goût du bicycle se propage à Québec; on compte dans le moment, ici, une vingtaine d'amateurs de ce que l'on était convenu d'appeler autrefois le vélocipède, et ces amateurs appartiennent tous à l'élite de la jeunesse québécoise. Nous croyons même qu'ils se sont déjà organisés sous la forme d'un club spécial.

On les verra probablement l'été prochain se diriger de temps en temps, tous ensemble, à certains jours fixés, du côté de Sainte-Foye, ou du Château-Richer.

«Bicyclistes». *Le Canadien*, 26 avril 1882, p. 3.

un concert-promenade et une grande parade dans les rues de Montréal[27].

Si c'est dans la ville de Québec que les premiers vélocipèdes québécois sont fabriqués, c'est cependant à Montréal que se développe le plus rapidement le cyclisme. C'est aussi à Montréal que l'on note le plus grand nombre de clubs et de compétitions durant la dernière décennie du XIXᵉ siècle[28].

Fait surprenant, en 1899, les promoteurs de plusieurs pays acceptent de tenir les premiers championnats internationaux à Montréal, au Queen's Park[29], faisant ainsi de Montréal la capitale mondiale du cyclisme pour... quelques jours.

Au «grand carnaval universel du cyclisme», le World's Meet, plus de cent cyclistes, aussi bien amateurs que professionnels, venant de sept pays (États-Unis d'Amérique, Écosse, Australie, Afrique du Sud, Angleterre, France et Canada), prennent part aux quinze compétitions. La grande vedette est l'Américain Major Taylor.

Selon *La Patrie*, de Montréal, le World's Meet «a été un succès colossal». Plus «de 30 000 personnes ont visité le vélodrome durant les quatre jours qu'ont duré les courses et ce nombre dépasse sûrement tout ce qui s'était vu jusqu'ici à une réunion sportique (sic) en Canada[30]».

Après avoir souligné le succès de ces rencontres sportives, le rédacteur de *La Patrie*[31] se plaint du fait que les Anglais se sont accaparé «la besogne afin d'être plus en évidence et d'être seuls à recueillir les louanges» et que les tâches ingrates ont été confiées aux Canadiens français[32]. Il est vrai que toute l'organisation de ce carnaval universel du cyclisme se trouve sous la responsabilité d'anglophones.

Lors de ces championnats internationaux, un seul Canadien français, Curtis Boisvert, pouvait espérer se classer parmi les premiers, mais une chute compromet ses chances. De plus, Boisvert aurait été traité injustement par les juges et les organisateurs du World's Meet[33].

L'année suivante, en 1900, Boisvert gagne la course d'un demi-mille et celle de un mille, catégorie professionnelle, pour mériter le titre de champion bicycliste du Canada[34].

Vélocipédistes en 1880
Ce dessin de Henri Julien représente quelques vélocipédistes de Montréal en 1880.
«Les événements de la semaine». *L'Opinion publique,* 19 août 1880, p. 406.

La bicyclette est-elle nuisible à la santé?

Depuis environ deux années la mode ou plutôt la rage de la bicyclette s'est emparée de notre population. Jamais dans les annales d'une invention ou d'un sport, a-t-on vu le monde entier s'y livrer avec un tel acharnement.

Hommes, femmes et enfants, sans distinction d'âges ou de rangs, ont été séduits par le charme de la bicyclette. Tellement que nos rues, déjà si dangereuses par le trafic des tramways et des voitures, sont devenues presque infranchissables pour le simple piéton, car ces milliers de machines silencieuses qui sillonnent nos boulevards, menacent à chaque instant de vous renverser et vous briser un membre.

Mais la chose la plus sérieuse et ce qui occupe le plus les sommités médicales en ce moment, c'est de savoir, si oui ou non la bicyclette est nuisible à la santé. On semble attacher moins d'importance à l'homme, mais pour la femme, les médecins sont presque unanimes à condamner ce genre d'exercice, qui est de beaucoup trop violent pour le beau sexe.

Aussi si on n'y met pas le holà, verra-t-on la plupart de nos jolies Canadiennes devenir pâles, anémiques, faibles et amaigries. À moins que celles qui se livrent à ce genre de sport ne prennent avant et après chaque exercice un verre de Vin St-Michel, qui est certainement le plus énergique des toniques ferrugineux. Il stimule l'appétit, facilite la digestion, enrichit et fortifie le sang, développe les muscles et tonifie le système nerveux.

«La bicyclette est-elle nuisible à la santé?» *Le Soleil,* 21 mars 1899, p. 3.

C'est aussi en 1900 que la Canadian Cycling Association est formée pour remplacer, non sans controverse, la Canadian Wheelmen Association qui espérait conserver le contrôle des courses[35].

Ces grandes compétitions internationales et la structuration des compétitions cyclistes ne semblent pas avoir eu d'influence sur l'expansion de ce sport, à Montréal du moins. En effet, si l'on en croit les chiffres, le nombre de bicyclettes détenant des permis à Montréal a diminué durant les années 1899, 1900 et 1901. En 1898, on n'en compte que 7 973 dans la métropole et, en 1899, l'année même du Carnaval universel du cyclisme, on note une diminution de 425 permis; l'année suivante, ce nombre chute à 1 048 et en 1901, à Montréal, on en compte 2 800 de moins qu'en 1898.

Massicotte attribue ce déclin à l'apparition de l'automobile[36]. Mais au début du siècle, en 1907, on ne dénombre que 254 automobiles dans tout le Québec, dont 210 à Montréal[37]. Ce n'est donc pas l'automobile qui est la cause de la désaffection envers le cyclisme au début du siècle. D'ailleurs, ce désintérêt a été éphémère car la bicyclette a vite retrouvé sa popularité. Mais cela, c'est une autre histoire qu'il faudra bien écrire un jour.

NOTES

1. «Appareil de locomotion généralement formé d'un siège sur deux ou trois roues et qui est mu d'abord par la pression des pieds sur le sol, puis au moyen de pédales». *Le Robert,* 1970.

2. «Vélocipède à deux roues». *Le Robert,* 1970.

3. «Appareil de locomotion formé d'un cadre portant à l'avant une roue directrice commandée par un guidon, et à l'arrière, une roue motrice, entraînée par un système de pédalier». *Le Robert,* 1970.

4. RENNERT, J. *100 ans d'affiches du cycle.* Paris, Henri Veyrier, 1974, s.p.

5. CAILLOIS, R. *Jeux et sports.* Tours, Gallimard, 1967, p. 1480.

6. *Ibidem,* p. 1481.

7. *Ibidem,* p. 1487.

8. DAUVEN, J. *Encyclopédie des sports.* Paris, Larousse, 1961, p. 174.

9. «Le vélocipède». *Le Canadien,* 30 octobre 1868, p. 2. Édouard Gingras était fabricant de voitures et résidait au 26, rue Sainte-Ursule. CHERRIER, G. H. *Almanach des adresses de Québec pour 1863-64.* Québec, John Lowell.

10. «Nouvelle école de vélocipède». *Le Canadien,* 10 mars 1869, p. 3.

11. «Vélocipède». *Le Canadien,* 3 mars 1869, p. 3. Les vélocipédistes sont toutefois la cible de ceux qui n'apprécient guère cette invention. Pour certains, «un vélocipède, c'est un imbécile à deux roues», pour d'autres «le vélocipède simplifie l'équitation, il supprime l'une des deux bêtes». «Définition du vélocipède». *La Minerve,* 3 mai 1869, p. 2.

12. (Nous attirons...). *Le Canadien,* 10 mars 1869, p. 3.

13. «Vélocipède». *Le Canadien,* 28 juillet 1869, p. 2.

14. «Bicyclistes». *Le Canadien,* 26 avril 1882, p. 3. «Sport». *Le Canadien,* 5 juillet 1882, p. 3.

15. «Les courses aux vélocipèdes, mercredi dernier». *Le Canadien,* 9 avril 1869, p. 2.

16. «Les dernières courses de vélocipèdes». *Le Canadien,* 14 avril 1869, p. 2.

17. «Vélocipède». *Le Canadien,* 16 juillet 1869, p. 2.

18. *Op. cit.* supra, note 12.

19. «Vélocipède». *Le Canadien,* 22 mars 1869, p. 2.

20. «Pour les bicyclistes». *Le Courrier de Saint-Hyacinthe,* 26 mai 1898.

21. «Avis aux amateurs de bicycles». *La Patrie,* 4 avril 1903, p. 2.

22. «Épargnez de l'argent sur bicycles neufs». *Le Courrier de Saint-Hyacinthe,* 21 avril 1898.

23. «Bicycle». *Le Canadien,* 18 décembre 1882, p. 3.

24. «Partis». *Le Canadien,* 4 juillet 1882, p. 3. Le Montreal Bicycle Club est formé dès 1878.

25. «Bicyclistes». *La Presse,* 28 août 1886, p. 4.

26. «Bicycle». *La Patrie,* 14 septembre 1886, p. 4.

27. «Le vélocipède». *La Presse,* 16 juin 1886, p. 4.

28. À la fin du siècle, il existe au moins onze clubs de bicyclistes à Montréal et pas moins de six à Québec. Le Montagnard de Montréal avec ses cent soixante et onze membres, en 1900, est le plus important. «Sport». *La Patrie,* 22 mai 1900, p. 2. Ce club a été formé par les membres du club de raquettes du même nom.

29. Les historiens du cyclisme, aussi bien français, américains ou anglais, ignorent totalement cette première grande compétition internationale. Même Menke, Frank G. n'en parle pas dans son *Encyclopedia of Sports.* New York, 1975 (première édition 1947).

30. «Le dernier jour». *La Patrie,* 14 août 1899, p. 2. L'expression sportique est usuelle à l'époque, elle fait partie du *Bon langage* de l'abbé Étienne Blanchard. Voir la sixième édition publiée en 1931. Dans la première édition, le mot sportique n'y figure pas.

31. À cette date, le rédacteur est Jos Marier.

32. *Op. cit.* supra, note 30.

33. «Boisvert frustré». *La Patrie,* 24 août 1899, p. 2.

34. «Le bicycle». *Le Soleil,* 4 juillet 1900, p. 8. «Bicycle». *La Patrie,* 4 avril 1900, p. 2.

35. «Bicycle». *La Patrie,* 4 mai 1900, p. 2. À cette date, la CCA affirme compter plus de cinq mille membres. «Assemblée des bicyclistes». *Le Soleil,* 26 mai 1900, p. 12.

36. «Du vélocipède à la bicyclette». *Bulletin des recherches historiques,* juillet 1945, p. 261.

37. ROY, P.-G. «Le premier automobile dans la province de Québec». *Bulletin des recherches historiques,* mars 1924, p. 94.

6
L'escrime

Dès les débuts de la colonie de la Nouvelle-France, les chroniqueurs font état de combats à l'épée malgré les interdits de Henri IV et de Louis XIII qui promettaient même la peine capitale au survivant d'un duel. Ces duellistes étaient surtout des militaires qui dégainaient à propos de tout et de rien, sous prétexte de défendre leur dignité offensée. Il semble même que sous le régime français, il était courant de régler un différend par un combat à l'épée[1].

Si les duellistes sont relativement nombreux – tous les militaires et les fonctionnaires portaient alors l'épée –, les maîtres d'armes, par contre, sont rares. En effet, É.-Z. Massicotte n'a trouvé «qu'une seule mention d'un individu enseignant le maniement de l'épée avant 1760». Les archives judiciaires du 7 mars 1683 ont conservé le nom d'Alexandre Turpin qui déclarait être «le premier maître d'armes de ce pays du Canada[2]».

Ces duels ne ressemblent en rien à une activité sportive et encore moins à l'escrime sportive telle que nous la connaissons aujourd'hui.

Après la Conquête, sous le régime britannique, le duel à l'épée fait place au duel au pistolet[3].

Il faut attendre le début du XIXᵉ siècle pour voir naître les premières manifestations de l'escrime pratiquée pour l'art. Il s'agit de maîtres d'armes qui donnent «des leçons dans l'art de l'Escrime[4]» en chambre privée. Ces leçons s'adressent aux «Messieurs» de Québec et de Montréal et sont données par des anciens militaires européens, belges, italiens, mais surtout français.

Selon l'un d'eux, le professeur Hurie, qui possède une Académie d'escrime «sur le Nouveau-Marché» de Montréal, «pour l'homme prudent, la connaissance des armes est un moyen de sûreté contre les attaques de personnes mal-intentionnées, elle contribue puissamment à déployer les grâces du corps et à en conserver la vigueur[5]».

Académie d'escrime

Mr. Hurie, Maître d'Escrime, élève du célèbre Geoffrois de Lyon, a l'honneur de prévenir les jeunes messieurs de Montréal et des environs, que l'encouragement qu'il a déjà reçu en cette ville l'a engagé à prendre un local plus central et plus commode, et qu'il a établi son Académie d'Armes dans le second étage de la grande maison de Joseph Roy, écuyer, sur le Nouveau-Marché, où il sera toujours prêt à donner des leçons, depuis 10 heures du matin jusqu'à midi, et depuis 2 heures jusqu'à 9 du soir.

Les armes ont pour base les mouvements de la nature et tout ce qui est nécessaire c'est d'en expliquer l'usage. Une expérience de près de trente ans, et une pratique sous les meilleurs maîtres lui ont fourni un grand nombre de combinaisons, dont le résultat est une méthode simple et concise.

Pour l'homme prudent, la connaissance des armes est un moyen de sûreté contre les attaques de personnes mal intentionnées, elle contribue puissamment à déployer les grâces du corps et à en conserver la vigueur.

«Académie d'Escrime». *La Minerve,* 20 février 1834, p. 3.

À Saint-Hyacinthe, les élèves du collège reçoivent des leçons d'escrime dès 1833. C'est pour eux une excellente gymnastique car cet «exercice, pris modérément, ne peut qu'être utile à la santé, à donner aux gens un maintien dégagé et à leur épargner cet air de gêne qui souvent ne les abandonne que longtemps après la fin des études[6]».

Pour diffuser l'art de l'escrime, les maîtres d'armes donnent de «grandes exhibitions d'armes[7]». Le spectacle comprend des «assauts à la contre-pointe par des amateurs» et des assauts «à la pointe» par les maîtres[8].

En 1850, J. Escalonne ouvre la salle d'armes de Montréal, sur la rue Craig, et offre à la jeunesse de Montréal l'occasion d'apprendre «l'Escrime, le Sabre français et anglais; le Sabre de cavalerie française et anglaise, et aussi l'exercice du fantassin à la française». Le maître d'armes réitère à l'instar de bien d'autres les buts de l'escrime:

«L'escrime seule est ce qui peut donner aux gens cet air dégagé et noble que chacun cherche à avoir. Elle donne aussi de l'élasticité au corps et en augmente les forces[9].»

David Legault, maître d'armes canadien-français.
La Patrie, 2 juillet 1901, p. 7.

L'escrime s'apparente donc à une méthode de gymnastique qui possède «un avantage réel sur tous les exercices du corps[10]» et ne prend pas encore la forme sportive. Les assauts d'armes sont d'abord une démonstration du savoir-faire, d'une science indispensable «à tout homme bien élevé».

Entre 1860 et 1880, l'escrime perd de sa vogue et les maîtres d'armes se font plus rares. Au moment où le militarisme se développe au Canada, ce qui aurait pu assurer à l'escrime une plus grande popularité, les militaires lui préfèrent le tir à la carabine. Les tentatives pour faire revivre l'escrime à cette époque connaissent des échecs qui découragent les professeurs d'armes. Le rédacteur de *La Minerve* attribue ce déclin de l'escrime aux difficultés que rencontrent les élèves dans l'apprentissage de cet art difficile et au peu d'avantages que donne «l'étude du fleuret[11]».

C'est au début des années 1880 que l'escrime reprend de la vogue, principalement à Montréal, sous l'impulsion d'un maître d'armes canadien-français, David Legault. Celui-ci ouvre une Académie d'escrime, en 1882[12], au n° 1611, rue Notre-Dame, où il organise des concours de tir au pistolet[13], enseigne le maniement des armes d'une façon simple tout en respectant «les traditions et les préceptes des grands maîtres. L'attaque, la riposte, la feinte sont disséquées en plusieurs mouvements et l'élève ne passe au second que lorsqu'il possède le premier parfaitement. Plus maintenant dans les assauts de ces grands mouvements de bras ou de ces contorsions de corps qui sont toujours disgracieux et souvent ridicules[14]».

Ces leçons s'adressent aux «volontaires, officiers et soldats», mais aussi aux jeunes gens car «la fermeture à bonne heure» des maisons de commerce laissait espérer une nombreuse clientèle[15].

Mais l'académie d'escrime de Legault poursuit toujours des buts nobles et militaires, et il n'y a pas de rencontre qui prenne vraiment la forme sportive. Toutefois des concours sont organisés et des médailles sont remises aux plus agiles[16].

Ce n'est qu'à la fin du siècle que des rencontres sportives sont organisées selon des règles très précises. En 1899, c'est un Canadien français, Irenée Roy, qui est le «champion amateur du Canada[17]».

Signor Genoroso Pavese
Ce champion des escrimeurs «du monde entier» donne une
démonstration au parc Sohmer le 14 septembre 1901. R. Languirand et Irenée Roy croisent le fer avec ce grand champion.
La Patrie, 10 septembre 1901, p. 2.

Lorsque «le champion des maîtres d'armes du monde entier, Signor Pavese», lance un défi pour un combat au sabre ou à l'épée, il trouve immédiatement des escrimeurs québécois pour croiser le fer. R. Languirand et Irenée Roy répondent au défi de Pavese. La rencontre a lieu au Parc Sohmer, le 14 septembre 1901, en présence de cinq à six cents spectateurs. Pavese remporte les honneurs mais les Québécois font bonne figure devant le champion du monde[18].

Mais l'art de l'escrime n'a pas connu la popularité que les rédacteurs sportifs lui promettaient. Sa pratique a toujours été limitée à un nombre très réduit de personnes et les quelques sujets d'élite qui se signalent (Legault, Languirand, Roy, Dupré, Pelletier, etc.) ne sont pas le produit d'une participation de masse.

Il serait intéressant de savoir pourquoi cette activité physique n'a pas été plus populaire. Serait-ce parce qu'elle est demeurée associée à une forme de gymnastique? Ou encore parce qu'elle n'a pas pu ou pas su se libérer de son association séculaire avec l'entraînement militaire? Ou encore, traditionnellement pratiquée par les aristocrates, elle ne leur a pas survécu?

L'escrime... une science

S'il est une science qui, jusqu'à ces dernières années, soit restée parmi nous, sinon à l'état d'oubli, du moins à l'état latent, c'est bien celle de l'escrime.

Deux ou trois entreprises privées, dans cette voie, commencées sous ce qui paraissait les auspices les plus favorables, sont tombées, faute d'encouragement; plus tard, des professeurs d'armes ont voulu essayer à faire revivre le goût de cet exercice au moyen de leçons au cachet, mais eux pareillement en ont été pour leurs frais.

Les élèves, pleins de feu au commencement, voyaient leur zèle se changer en découragement, ils étaient effrayés des difficultés qui se multipliaient et se dressaient devant eux. Il ne faut pas se le dissimuler, en escrime, rien de plus simple, en apparence, que la théorie des attaques et des parades, mais aussi rien de plus compliqué dans la pratique. Il n'y a pas là que le bras qui travaille, ce sont toutes les forces de l'intelligence qui sont en jeu; vous n'avez pas qu'à frapper, mais aussi à vous garder contre cette pointe qui vous menace toujours et vous arrive rapide comme la pensée; vous devez la deviner avant même de la parer; non seulement vous avez à combiner vos coups, mais il faut aussi détourner ceux de votre adversaire et, pour s'exprimer ainsi, penser pour eux.

De là, la première objection, on n'ose pas aborder les premières difficultés, et, faute d'une méthode bien enseignée, à la suite de démonstrations mal expliquées, où les obstacles sont grandis au lieu d'être aplanis, l'élève perd la confiance qu'il avait d'abord en lui-même, il n'a plus la précision du coup d'oeil si nécessaire dans l'attaque, enfin ce qui devrait être un exercice constant du jugement devient une affaire de routine qu'on abandonne ensuite de dégoût.

La seconde objection peut se réduire à ceci: à quoi bon l'escrime? L'étude du fleuret ne peut être d'aucune utilité, le duel n'existant pas au Canada!

D'abord on se trompe étrangement en pensant que le but des exercices d'escrime est de faire des spadassins. C'est essentiellement une école où l'on apprend à déployer les ressources de l'esprit et du corps. Comme exercice hygiénique, on ne saurait trouver rien de plus salutaire. Tous les muscles sont en jeu, la jambe se tend, les bras s'agitent, le corps se cabre et le fonctionnement des poumons s'opère fortement. Le tireur est non seulement un lutteur, c'est encore un stratégiste; il est à la fois soldat et général. Il doit posséder le sang-froid qui l'empêche de se troubler devant le choc le plus imprévu et lui permet de juger sainement le jeu de son adversaire, ses qualités et ses défauts. L'imagination développée, surexcitée, lui donne la faculté d'exécuter en une seconde un plan de campagne conçu en une minute.

L'escrime, c'est la forme au service de la raison. Ainsi, pour nous résumer, son but est de développer les facultés intellectuelles par un esprit sain, de développer les facultés physiques par un corps sain, inspirer un sang-froid que rien ne peut troubler et qui peut être d'un grand secours dans certaines circonstances difficiles de la vie. Nous ne croyons pas trop dire en affirmant qu'un bon tireur de fleuret peut avec une simple badine faire face à une dizaine d'adversaires qui l'attaqueraient par surprise, et les mettre en fuite.

Voilà pourquoi nous disions en commençant que l'escrime

jusqu'à ces dernières années a été une science incomprise parmi nous; mais heureusement cette lacune est maintenant remplie.

En 1882, M. D. Legault, qui avait eu, avant, l'avantage d'étudier les armes sous les premiers professeurs, cédant aux sollicitations de quelques amis, ouvrit une salle d'escrime. De même que toutes les entreprises naissantes et utiles, les débuts furent modestes. Les élèves se recrutaient difficilement. On aimait cette science, mais son étude effrayait. Comme nous l'avons expliqué plus haut, les théories jusqu'alors en usage laissaient fort à désirer, elles avaient été mal enseignées et encore plus mal comprises. On redoutait l'échec: mais l'idée fit son chemin. Les premiers sujets ne furent pas lents à reconnaître la supériorité de la méthode de M. Legault et à la proclamer au dehors.

La vraie corde venait d'être touchée et le réveil s'opérait.

M. Legault s'est dit que pour rendre la science de l'escrime populaire, il fallait la mettre à la portée de tous. Tout en respectant les traditions et les préceptes des grands maîtres, il a simplifié leur méthode. Le système qu'il a inauguré est simple. L'attaque, le riposte, le feinte sont disséqués en plusieurs mouvements et l'élève ne passe au second que lorsqu'il possède le premier parfaitement. Plus maintenant dans les assauts de ces grands mouvements de bras ou de ces contorsions de corps qui sont toujours disgracieuses et souvent ridicules.

Jeunes et vieux, ignorants comme hommes instruits se trouvent sur le même pied d'égalité, il n'y a qu'une question de volonté, celle d'apprendre qui les sépare. M. Legault prétend même qu'un élève qui ferait preuve d'application, peut après un an de salle, enseigner aussi bien que lui-même. Cette affirmation n'a pas besoin de commentaire.

Un autre exercice, celui du sabre de combat, a été aussi introduit depuis deux mois dans l'école, ce qui a fait dire à quelques-uns: «Legault, après avoir enseigné à ses élèves comment embrocher leur homme, les instruit maintenant sur la manière de le dépecer».

Ce nouveau genre d'escrime est beaucoup en faveur. En effet, cette arme essentiellement destinée à la guerre permet non seulement d'atteindre toutes les parties du corps, mais elle prépare l'élève à se défendre le cas échéant, contre plusieurs adversaires réunis.

Ainsi, l'étude des armes, qui était auparavant une tâche fastidieuse, est devenue une récréation. Les élèves ne vont pas à la salle travailler, ils s'y rendent pour s'amuser, en s'instruisant. Tous font preuve de la plus grande ponctualité et se plient avec plaisir pendant les heures d'exercices à la discipline sévère que le professeur a établie.

Le 8 décembre dernier, M. Legault, voulant donner un échantillon du savoir-faire de ses élèves, a convié le public à une de leurs répétitions générales.

Les journaux ont, dans le temps, donné un compte rendu de cette soirée militaire, inutile d'y revenir. Qu'il suffise de dire que les applaudissements chaleureux accordés par les nombreux spectateurs à la fin de chaque exercice ont absolument prouvé à M. Legault qu'on savait apprécier son mérite et les efforts qu'il s'est imposés pour populariser une science encore si peu connue et pourtant si utile.

C'est ce qu'ont exprimé en termes éloquents MM. Arthur Desjardins, avocat, et A. Piché, médecin, invités à prendre la parole. Ces deux messieurs ont de plus offert à l'école chacune une médaille, qui feront l'objet de deux concours entre les élèves et ne contribueront pas peu à leur inspirer l'esprit d'émulation.

Depuis, M. Arthur Desjardins s'est inscrit lui-même comme élève et M. Gustave Drolet a confié l'éducation militaire de ses deux fils à M. Legault. Ajoutons à ces preuves manifestes d'encouragement, des témoignages par écrit très flatteurs, adressés à M. Legault par nombre de personnes, des deux nationalités, qui le félicitent de son esprit d'entreprise et des succès obtenus jusqu'ici. Nous mentionnons, entre autres, M. A.-G. Lord, un des patrons de l'école qu'on voit toujours lorsqu'il s'agit d'encourager toute association qui a pour but de développer ou de favoriser l'hygiène du corps.

M. Le chevalier A. Larocque, que tout le monde connaît, nous pardonnera notre indiscrétion, si nous nous permettons de citer la bienveillante lettre dont il a accompagné sa demande d'admission comme membre de l'école. Elle résume tout ce qu'on peut dire sur ce sujet:

Cher monsieur Legault,

Je comptais sans deux malades que j'ai à la maison, aller vous remercier en personne, de la gracieuse invitation que vous m'avez envoyée, pour hier soir, à vos salles d'armes. Malheureusement, j'en ai été empêché.

Ayant fait trois ans de salle, il y a vingt ans il est vrai, je comprends tout le plaisir l'amour que l'on ait pour le très noble art du fleuret.

Notre jeunesse, d'ordinaire si fortement constituée et bâtie, devrait s'empresser de suivre tous ces cours de gymnastique; ils y apprendraient en peu de temps l'art de se servir de cette force et de cette vigueur qu'admire forcément la jeunesse des autres nationalités.

Quoi qu'il en soit, votre œuvre, car c'est une œuvre excellente et patriotique, devrait être encouragée par toutes les classes de notre société.

La fermeture à bonne heure de nos maisons de commerce devrait vous fournir un bataillon d'élite de gymnastiques de toutes espèces. À ces jeunes gens, une ou deux soirées par semaine serait une excellente hygiène peu coûteuse et très fructueuse sous le rapport de la santé et du corps et de l'esprit.

Vous renouvelant les regrets que je fais de n'avoir pu assister à votre première, je vous exprime tous mes souhaits de réussite et de prospérité.

J'espère que nos volontaires, officiers et soldats, comprendront que vous leur avez ouvert une excellente école de tenue, de maintien et de gymnastique; quant à moi, je vous prie de m'inscrire comme un de vos élèves.

Votre tout dévoué,
A. Larocque

Mercredi, 9 décembre 1885

Ainsi on le voit, l'idée s'est fait jour dans le public intelligent et les esprits se préparent lentement mais sûrement, on se prend d'intérêt pour ce qui paraissait tout d'abord n'être qu'un amusement frivole et inutile.

Que l'encouragement se continue, qu'on l'accorde avec libéralité et avant longtemps nous aurons des tireurs canadiens qui se distingueront dans les concours d'escrime et feront honneur à leurs concitoyens, tout en cultivant une science si propre au développement des facultés physiques et intellectuelles.

Éd. Émond

«L'Escrime». *La Minerve*, 26 décembre 1885, p. 5.

NOTES

1. FAUTEUX, Aegidius. *Le duel au Canada*. Montréal, les Éditions du Zodiaque, 1934, pp. 7-48.

2. MASSICOTTE, É.-Z. «L'escrime et les maîtres d'armes à Montréal». *Bulletin des recherches historiques*. Vol. XXIX, n° 8 (août 1923), pp. 260-263.

3. FAUTEUX, Aegidius. *Op. cit.* supra, note 1, p. 51.

4. «Escrime». *La Gazette de Québec.* 29 novembre 1827, p. 3.

5. «Académie d'Escrime». *La Minerve.* 20 février 1834, p. 3.

6. (Un maître d'escrime...). *La Gazette de Québec.* 27 juillet 1833, p. 1.

7. «Exhibition d'armes». *La Minerve.* 30 novembre 1846, p. 3.

8. «Assaut d'armes». *La Minerve.* 27 août 1835, p. 3. «Grand assaut d'armes». *La Minerve.* 8 juin 1843, p. 3.

9. «Salle d'armes de Montréal». *La Minerve.* 28 février 1850, p. 3.

10. «Académie d'Armes». *La Minerve.* 23 décembre 1850, p. 3.

11. «L'escrime». *La Minerve.* 26 décembre 1885, p. 5.

12. *Ibidem.*

13. «Notes locales». *La Presse.* 11 décembre 1884, p. 1.

14. «L'escrime». *Op cit.* supra, note 11.

15. *Ibidem.*

16. «Chez Legault». *La Presse.* 8 août 1890, p. 3.

17. «Escrime». *La Patrie.* 26 août 1899. p. 12.

18. «Le champion Pavese maintient sa réputation». *La Patrie,* 16 septembre 1901, p. 2.

7

Le hockey

L'origine du hockey sur glace est encore inconnue. Parmi ceux qui ont écrit sur les origines de ce sport, certains font remonter l'existence de ce jeu aux Perses et aux Grecs de l'Antiquité. En effet, des activités physiques analogues sont pratiquées par les Grecs de l'Antiquité[1], les Français du Moyen Âge[2], les Anglais au milieu du XIXe siècle[3], etc. Même s'il s'agit alors d'activités physiques analogues, on ne peut affirmer qu'il s'agisse vraiment du hockey tel que nous le connaissons au Québec depuis la fin du XIXe.

Il ne saurait être question, dans les limites de ce court texte, de régler une fois pour toutes le problème de l'origine du hockey[4] ni, par ailleurs, de trancher la controverse qui existe, depuis les années 1940, sur les débuts du hockey au Canada[5]. Certains soutiennent que c'est à Kingston, en 1855, que se serait jouée la première partie de hockey sur glace au Canada[6]; d'autres affirment que c'est plutôt à Montréal en 1837[7]; d'autres encore avancent que c'est le 3 mars 1875, à Montréal, que la première partie de hockey «pur» a été jouée au Canada[8].

Les journaux québécois font état de cette partie de hockey disputée le 3 mars 1875 entre des étudiants de l'Université McGill au Victoria Skating Rink de Montréal[9], mais il serait surprenant que ce soit vraiment la première partie. En effet, le jeu est déjà organisé et obéit à des règles sommaires mais précises. L'existence du hockey est probablement antérieure à cette époque. De toute manière, procéder par affirmation ne constitue pas une méthode bien rigoureuse pour établir les origines d'un phénomène et cette approche ne peut conduire qu'à des conclusions douteuses. Nous savons que les inventions sont pratiquement toujours le résultat de l'influence d'un ensemble de facteurs. Le hockey n'a donc pas pris naissance à tel endroit, à tel jour. Sa formation est beaucoup plus complexe et serait plutôt le résultat

Le «hockey» en 1880
Ce dessin, attribué à Henri Julien, nous donne l'allure du jeu de
«hockey» à ses débuts. C'est encore essentiellement un jeu de
poursuite élémentaire qui se joue avec une balle et un bâton en
forme de canne.
«Amusement d'hiver au Canada». *L'Opinion publique,* 23 janvier
1880, p. 42.

d'emprunts successifs à des activités physiques analogues, entre autres, au *bandy* d'origine anglaise[10], au *shinty* des Écossais, au *hurley* des Irlandais, fonctionnant tous selon le même principe de base.. Il s'agit, en se servant d'une crosse, c'est-à-dire d'un bâton dont une extrémité est recourbée, de pousser une balle pour lui faire franchir le but de l'adversaire. Ce sont des jeux de poursuite dans lesquels l'effort individuel prime sur le jeu d'équipe. Le pointage élevé des parties et le nombre de lancés arrêtés par le gardien de but traduisent bien l'allure offensive du jeu.

C'est donc en vérifiant l'origine de chacun des éléments qui caractérisent le hockey sur glace tel qu'on le connaît à la fin du siècle dernier, qu'il sera possible de retracer les origines de ce sport et les influences qui lui ont donné naissance[11]. Il faut procéder à une étude comparée des activités physiques analogues, afin d'identifier les éléments appartenant exclusivement au hockey[12]. Cette recherche reste à faire. Avis aux amateurs!

En attendant les résultats de cette recherche, il est possible de dégager quelques facteurs qui ont favorisé sa rapide évolution durant le dernier quart du XIXe siècle. Avant les années 1870, le *bandy*, le *shinty*, le *hurley*[13] et la crosse, se pratiquent sur la glace du fleuve, des rivières, des lacs et même dans les rues[14]. Le hockey semble bien être la première, parmi ces activités physiques, à se pratiquer sur une patinoire aux dimensions déterminées, bien que ces dimensions varient selon les endroits.

Le 3 mars 1875, lors de la première partie de hockey publicisée, les joueurs utilisent un bloc de bois au lieu de la traditionnelle balle comme c'est la règle pour le *bandy*, le *shinty*, le *hurley* et la crosse, afin d'éviter de blesser les spectateurs[15]. L'adoption de la rondelle s'est faite graduellement, puisqu'en 1884 on joue encore au «hockey» avec une balle[16]. À la fin des années 1880, le bâton avec une palette fait son apparition. Ces deux éléments, la rondelle et le bâton à palette, servent exclusivement au hockey. On ne les retrouve pas dans les autres jeux ou sports. Le hockey commence donc à se distinguer des autres jeux dont il est issu.

Jusqu'en 1899, les buts du hockey sont sensiblement les mêmes que ceux de nombre d'autres jeux ou sports. Il s'agit tout simplement de deux bâtons piqués en glace au bout desquels sont fixés des fanions. C'est le 30 décembre 1899, au Victoria Skating

Le hockey en 1883
Le hockey fait partie du programme du carnaval de Montréal en
1883. À remarquer que les joueurs se servent d'une crosse et d'une
balle.
«Le Carnaval à Montréal». *L'Opinion publique,* 8 février 1883,
p. 67.

Rink de Montréal, que l'ont fit l'essai, pour la première fois, de filets derrière les buts. À cette occasion, des dirigeants de ligues et de clubs de Québec, Toronto, Kingston et Ottawa, se rendent à Montréal pour en vérifier l'utilité[17]. Le rédacteur sportif de *La Patrie* de Montréal, probablement Jos Marier, analyse les conséquences de cette innovation sur l'évolution du jeu:

«Il n'y a aucun doute que la tâche de l'umpire, par l'adoption de filets, se trouve considérablement facilitée. Le travail du gardien des buts se trouve diminué en ce qu'il en est réduit à se tenir à son poste et à parer les coups, car il lui est impossible d'aller derrière les buts. Ceci forcera le Point et le Cover de déserter le leur, augmentant ainsi les chances des adversaires. Ceux-ci, néanmoins, ne pourront plus faire de passe à travers les buts; ils ne pourront plus, placés derrière les buts, glisser le puck à ceux de leurs coéquipiers qui se trouveraient devant; un détour est rendu nécessaire. Le jeu se trouve gâté sous ce rapport, mais si, comme on l'espère, l'adoption des filets met fin pour jamais aux disputes, ce sera toujours un bon point de gagné[18].»

L'année suivante, en raison du succès obtenu, l'innovation est adoptée par les organisateurs de crosse. En cela, c'est le hockey qui influence un sport dont les règles datent d'un demi-siècle.

Pour la mise au jeu, l'arbitre déposait la rondelle sur la glace entre les bâtons des deux joueurs puis reculait de quelques pas avant de donner le signal au jeu. Cette façon de faire entraînait de nombreux retards dans le déroulement des joutes et réduisait l'aspect spectaculaire du jeu. C'est le président de l'Aréna de Montréal, Éd. Sheppard, qui proposa, le 19 mars 1903, la mise au jeu moderne, en autorisant le début du jeu dès que la rondelle touche la glace[19]. Il apparaît évident que les dirigeants du hockey veulent que ce sport devienne de plus en plus rapide. En cela, ils sont bien de leur temps. La vitesse est considérée comme la qualité dominante des meilleurs joueurs alors que le jeu d'équipe et le jeu défensif sont peu développés.

Les premières règles du hockey connues à ce jour datent de 1875. Le journal *The Gazette* de Montréal publie ces règlements dans son édition du 27 février 1877[20]. En 1886, les règlements sont modifiés; de sept articles au départ, ils en comptent désormais le double. Les règles du jeu se précisent et sont acceptées, d'abord par les clubs de Montréal, puis par ceux de l'ensemble du Canada[21].

Entre 1875 et 1885, les clubs de hockey de Montréal se rencontrent régulièrement[22]. Dès 1880, le Quebec Hockey Club se rend à Montréal pour rencontrer le Victoria Skating Club[23]. L'organisation de ces clubs en ligue est dès lors possible.

Aussi, le rédacteur sportif du journal *The Gazette* propose que les villes de Montréal, Toronto, Ottawa et Québec possèdent leur club de hockey, la tenue d'un «Dominion Championship[24]». Un mois plus tard, le 8 décembre 1886, les responsables des clubs de hockey de Montréal se réunissent au Victoria Skating Rink pour former «The Amateur Hockey Association of Canada[25]», sous la présidence de T.D. Greene d'Ottawa. Aucun Canadien français ne participait à cette assemblée.

Cette association donnera au hockey une certaine stabilité institutionnelle, nécessaire à son développement. À partir de cette date, les journaux font état de la popularité croissante de ce sport. Son évolution sera si extraordinaire qu'en moins de vingt ans, il deviendra l'un des sports les plus populaires au Québec et au Canada. Grâce au rédacteur sportif de *La Presse*, nous pouvons mesurer la popularité des joutes de hockey de «la vieille ligue», c'est-à-dire la ligue senior qui a précédé la ligue nationale. Voici le nombre de spectateurs présents lors des joutes de cette ligue pour les années 1902 et 1903[26]:

Match	1902	1903
Shamrock-Montréal	2 247	2 600
Ottawa-Shamrock	1 562	2 279
Québec-Shamrock	2 145	1 631
Victoria-Montréal	4 192	5 078
Victoria-Shamrock	1 453	872
Ottawa-Victoria	1 903	2 248
Shamrock-Victoria	663	473
Montréal-Shamrock	828	1 023
Ottawa-Montréal	4 132	5 405

Match	1902	1903
Montréal-Victoria	4 871	3 278
Québec-Victoria	392	428
Québec-Montréal	1 738	—
	26 126	25 315

Parties disputées pour la coupe Stanley:

Première partie	3 637
Deuxième partie	4 820
Troisième partie	5 127
Quatrième partie	4 282
	17 866

Le hockey devint dans les faits, à l'incitation d'amateurs anglophones, le sport national du Canada, supplantant ainsi la crosse qui était considérée comme tel depuis 1860[27]. Désormais, le Canada possède deux sports nationaux, l'un pratiqué l'hiver, l'autre, l'été.

À la fin du XIXe siècle, le hockey est devenu si populaire que Lord Stanley, gouverneur-général du Canada[28], attribue, en 1892, une coupe qui porte encore son nom[29] mais qui symbolise aujourd'hui la suprématie de la meilleure équipe de hockey professionnelle en Amérique du Nord, alors qu'à l'époque cette coupe appartenait à la meilleure équipe de hockey amateur au Canada. La coupe Stanley a été remportée la première fois par l'équipe de Montréal affrontant celle d'Ottawa. C'est le début de la grande discussion qui se poursuit très activement encore aujourd'hui au sujet de la suprématie des Canadiens dans le hockey[30].

Les deux ligues les plus importantes sont la Ligue de hockey senior, c'est-à-dire la Canadian Amateur Hockey League, aussi appelée «la vieille ligue», et la Ligue intermédiaire. La Ligue senior est composée des clubs de Montréal, Shamrock, Victoria, Ottawa et Québec. La «schedule» commence le 4 janvier et se termine le 1er mars; elle comprend huit rencontres. La structure de la Ligue intermédiaire est plus complexe. En 1900, elle est composée de trois divisions appelées séries.

Séries

de l'Est	**Centrale**	**de l'Ouest**
Québec II	Pointe Saint-Charles	Ottawa
Sherbrooke	Montagnards	Aberdeen
Crescents	McGill	
(de Québec)	National	
Laviolette		
(de Trois-	Montréal II	
Rivières)	Victoria II	
	Shamrock II	
	Westmount	

Les plaisirs des Fêtes
Durant la période des Fêtes, les vacances permettent aux enfants de s'adonner à de nombreux jeux traditionnels. Dès les années 1880, le «hockey» fait partie des amusements populaires. Le dessin est de Henri Julien.
L'Opinion publique, 18 janvier 1881, p. 18.

Comme l'indique la composition de ces ligues, le phénomène connaît une très forte concentration dans la ville de Montréal. Il faut toutefois ajouter que le nombre de clubs composant ces ligues varie d'une année à l'autre et que l'organisation du hockey, même professionnelle, est encore instable.

Les journaux font aussi état de l'allure du jeu qui est généralement rude et souvent violent, voire brutal. Les règlements sont très déficients et les arbitres plutôt tolérants. Lorsqu'il n'y a pas de coups violents échangés entre les joueurs, la presse considère qu'il s'agit d'une «chose extraordinaire dans une joute de hockey»[32]. Certains joueurs frappent plus souvent l'adversaire que le disque et se servent de leur bâton «comme un bûcheron d'une hâche[33]». Aussi, les coups de bâton ne sont pas rares et il arrive qu'un joueur soit assommé[34] ou que la bagarre générale éclate entre les joueurs[35]. La police doit intervenir pour calmer les esprits et rétablir l'ordre afin que le jeu se poursuive[36]. Les spectateurs ne se gênent pas pour envahir la glace dans le but de malmener des joueurs, quand ce n'est pas l'arbitre. En 1895, le Quebec Hockey Club est suspendu pour le reste de la saison parce que les spectateurs ont intimidé, insulté et maltraité l'arbitre[37]. La bagarre se poursuit quelquefois après la joute, à coups de poings, de pieds et même à coups de couteau[38]. Cette violence ne semble pas avoir nui à la popularité du hockey, au contraire. L'expression le «hockey n'est pas un jeu de salon» date de cette époque[39].

Vers 1900, on joue au hockey dans la plupart des villes du Québec, mais son organisation, sauf à Montréal, est rudimentaire et en pleine évolution. Bien que la pratique du hockey ne soit pas aussi populaire chez les francophones, certains collèges possèdent une ligue composée de quatre ou cinq clubs. C'est le cas du collège Sainte-Marie de Montréal[40]. D'autres ne possèdent qu'une seule équipe[41]. À cette date, les collèges anglophones possèdent une ligue intercollégiale qui compte pas moins de seize clubs[42]. Aussi, le rédacteur sportif de *La Patrie*, tout en témoignant de la «vogue extraordinaire du hockey chez les jeunes anglophones», se demande «pourquoi le Mont-Saint-Louis, le collège Sainte-Marie et les écoles des commissaires ne feraient-ils pas comme les écoles anglaises?[43]»

Le Club de Hockey Laviolette de Trois-Rivières

J. TIBBITS, C.P.

THOM. ARGALL, GOAL.

ADRIEN BELLEFEUILLE, AVANTS.

CHS. PLANTLAND, POINT.

H. NOBERT AVANTS.

H. BLAIR, AVANTS.

C. BAXTER, REFEREE.

GAUTHIER AVANTS.

Jos. REMILLARD, AVANTS, RESERVE.

(Photographie Honoré L. Godin, artiste-photographe, des Trois-Rivières).

La Patrie, 13 janvier 1900, p. 12.

Au niveau universitaire, Laval possède, «depuis peu», deux équipes, l'une à Montréal, l'autre à Québec[44], alors que l'université McGill, qui peut être considérée comme «l'épicentre» du hockey au Canada, sinon en Amérique du Nord, possède une telle équipe depuis au moins 1875.

Des «dames» forment des clubs de hockey (Canadian Ladies Hockey Club, Three-Rivers Ladies Hockey Club, Montreal Ladies Hockey Club, etc.), mais rares sont les Canadiennes françaises qui font partie de ces clubs[45]. La presse francophone présente ces joutes «piquantes d'intérêt» comme une curiosité à voir[46]. Ces clubs de femmes ne connaîtront pas au XIXe siècle une organisation en ligue comme c'est le cas pour les clubs masculins.

Si l'on retient la présence des Canadiens français dans les équipes de hockey comme indicateur de la pratique de ce sport, force nous est d'admettre que cette participation est restreinte, même très restreinte entre 1875 et 1886. Une vérification dans la presse pour cette période, soit onze ans, indique que seulement cinq Canadiens français font partie de clubs. Ce sont C. Lamothe, J. Roy, A. Gauthier, D. Labonté et E. Laframboise[47].

Une autre vérification faite à partir des journaux francophones de l'année 1900 indique encore une présence réduite des Canadiens français dans les ligues de hockey. Ainsi, la ligue senior ne comprend aucun Canadien français, ni parmi ses dirigeants, ni parmi les joueurs[48]. La ligue intermédiaire, qui comprend quatorze clubs, ne compte que deux formations composées de Canadiens français: le Montagnard et le National de Montréal[49], c'est-à-dire quatorze joueurs sur quatre-vingt-dix-huit, soit 14%. La ligue junior, tout comme la ligue senior, n'accueille aucun Canadien français, ni parmi les dirigeants ni parmi les joueurs[50].

La naissance du hockey et son évolution au Québec et au Canada sont essentiellement le fait des Canadiens anglais de Montréal. L'université McGill et le journal *The Gazette* ont joué un rôle déterminant à ces égards. Les premières règles sont édictées par des étudiants de l'université McGill et les ligues, formées sur l'incitation du journal *The Gazette*[51], sont dirigées par des anglophones. Le vocabulaire du hockey, même celui utilisé par les

Vocabulaire du hockey

Terme canadien (1900)[1]	Proposition de francisation (1910)[2]	Terme utilisé en (1940)[3]
hockey	gouret	hockey
puck	disque, rondelle	rondelle
goal	buts, gaules	buts
score	résultats	compte
scorer	marqueur	compteur
point	foncier	défense
cover point	un milieu	défense
forward	un fort	avant (ailier)
center	centre	centre
rover	corsaire, tirailleur	
team	équipe	équipe
match	joute	joute
off-side	hors jeu	hors jeu
umpire	arbitre	arbitre
referee	arbitre	arbitre

---

1. Termes canadiens utilisés par les journalistes francophones en 1900.

2. BLANCHARD, abbé Étienne. *Termes anglais et anglicismes.* Montréal, Beauchemin, 1913, p. 43.

3. Selon les pages sportives du *Devoir* de l'année 1940. Le début de la francisation des termes sportifs dans ce journal est cependant antérieure.

"LE DERNIER MOT" EN FAIT DE PATINS

Si vous avez l'intention de vous acheter un poêle de cuisine ou une automobile, vous demanderez le tout dernier modèle, parce que vous savez qu'il est supérieur à ses prédécesseurs. Il serait sage d'en agir ainsi dans l'achat des patins. Ces patins que nous offrons sont "le dernier mot" dans la fabrication des patins Plus légers, plus rapides et plus forts que tous les autres. Renseignez-vous sur les différentes sortes. Ils ne coûtent pas plus cher que la sorte la plus inférieure.

Le patin "Automobile" est le meilleur patin pour le hockey ou la patinoire. La partie supérieure est en aluminium, et la lame en acier nickelé. C'est la nouvelle combinaison qui a révolutionné le patinage.

Nous Fabriquons les Patins

LADIES AUTO

CYCLE

Arctic SPECIAL

KLONDYKE

YUKON

Arlington Bicycle Co.,   A. E. Brégent,

Art. Ross Co.,   R. W. Kerr,

McNeice & Orchard,   A. G. Spalding Bros.

---

rédacteurs sportifs de la presse francophone, est anglais. La participation des Canadiens français peut être considérée comme
étant marginale pendant tout le XIXe siècle.

Tout cela n'empêche aucunement les Canadiens français de
considérer, tout comme les anglophones du Québec, le hockey
comme étant leur sport national.

Pour la coupe Stanley

Le jeu de hockey est, sans contredit, le sport le plus populaire de la saison d'hiver. Sa vogue a atteint un tel degré que l'an dernier, à deux reprises, le vaste auditorium de l'Arena a été trouvé insuffisant à contenir la foule qui se pressait pour assister aux joûtes les plus importantes. L'une de ces occurrences fut la deuxième partie de la série, pour la coupe Stanley, entre le club Victoria de Winnipeg et le club Victoria de Montréal. C'est au sujet de la répétition annuelle de ce gros événement, l'événement le plus important de la saison, que je viens causer avec les lecteurs de la «Patrie» et ajouter aux illustrations de notre artiste, quelques notes supplémentaires sur le jeu de hockey, sur les héros du prochain grand tournoi et sur les événements qui l'ont précédé.

Les amateurs de ce beau sport sont au courant de toutes ces choses; ce n'est donc pas à eux que je m'adresse, mais bien à ceux qui n'y ont apporté jusqu'ici aucun intérêt.

Je disais plus haut que le jeu de hockey jouissait d'une grande vogue, à Montréal, mais je dois ajouter que cette vogue est loin de s'étendre, chez les Canadiens français, dans la proportion que ceux-ci forment de notre population, comme c'est le cas pour les jeux de crosse et de baseball. La raison de cet état de choses est bien simple. Il n'a jamais existé un club de hockey canadien-français qui pût soutenir brillamment notre nom, dans des luttes contre les grands clubs anglais et irlandais, comme l'ont fait le National et les Mascotte dans les sports d'été.

Mais les temps sont changés, et je me crois en mesure de prédire qu'avant deux années, nous aurons une équipe composée entièrement de Canadiens français, qui pourra lutter pour le championnat et la coupe Stanley, comme le feront dans quelques jours les vaillants athlètes dont nous publions aujourd'hui les portraits. Oui, et ce n'est pas sans un vif plaisir que je le dis.

Les bases d'un club sont jetées, au Montagnard. Les joueurs sont de robustes gaillards et ils se sont instruits à la bonne école, car la majorité d'entr'eux sortent de cette véritable fourmilière qu'est le Collège Sainte-Marie qui a déjà fourni au club Shamrock trois des brillants joueurs qui ont remporté, pour la première fois, le championnat, l'an dernier, et qui devront défendre leur titre et la coupe Stanley contre la formidable équipe de Winnipeg, dans une dizaine de jours.

Le jeu de hockey, c'est le jeu de crosse de l'hiver. Le principe est le même que celui de l'été. Les joueurs d'une équipe s'évertuent à faire passer un morceau de caoutchouc entre deux poteaux que défendent les adversaires à un bout de la glace, et vice versa. Le hockey est considéré, par un grand nombre, comme étant plus attrayant que la crosse. Une chose bien certaine, c'est que l'enthousiasme des spectateurs est plus bruyant et plus soutenu, car les mouvements des joueurs, qui sont montés sur des patins, sont infiniment plus rapides que ceux des joueurs de crosse prenant leurs ébats sur l'herbe. Le bâton dont on se sert diffère du bâton de crosse en ce qu'il n'est pas muni d'un filet, chose qui est inutile, car il n'a pas à porter la roulette de caoutchouc comme la balle de la crosse. Personne n'est plus vif, plus souple, plus élégant, que le joueur de hockey, et l'on comprend lorsque l'on voit les joueurs de nos grands clubs à l'oeuvre, qu'il leur ait fallu un long apprentissage pour arriver au degré de perfection qu'ils atteignent, dans leur jeu, à l'admirable précision de leurs moindres mouvements. L'agilité qu'ils déploient est prodigieuse. Leurs chutes sont moins fréquentes qu'on ne serait tenté de le croire, bien qu'ils se heurtent souvent si violemment qu'il est miraculeux qu'ils puissent se maintenir en équilibre.

Lorsqu'ils tombent, cependant, ils se relèvent si vivement qu'on les croirait faits de caoutchouc ou munis de ressorts.

Ils ont, de plus, l'instinct de savoir tomber sans se faire de mal, et plusieurs fois, lorsqu'on les voit se faire pousser rudement contre la clôture qui entoure la glace, on croirait qu'ils se sont fait enfoncer les côtes, mais il n'en n'est rien, et vous pouvez, une seconde plus tard, voir les victimes de la poussée, voler d'une extrémité à l'autre de la glace, comme si elles avaient des ailes.

Je n'entreprendrai pas de décrire une partie de hockey, la chose est impossible; il faut voir pour s'en faire une juste idée. Les occasions se présentent assez souvent, et la prochaine série de parties entre le Victoria, de Winnipeg, et le Shamrock, en est une exceptionnelle.

La coupe Stanley, ce magnifique trophée dont nous publions la vignette, est un don du comte de Derby, autrefois Lord Stanley de Preston. Alors qu'il était gouverneur-général du Canada, Son Excellence suivait avec intérêt les parties de hockey, et avant de quitter notre pays pour retourner en Angleterre, il laissa cette coupe comme souvenir des agréables soirées que lui avaient fait passer les clubs du pays. Il demanda qu'on en fit l'emblème du championnat du Canada et qu'elle soit mise en concours.

C'était en 1893, et le club Montréal, vainqueur des séries

de cette saison-là, se vit adjuger le trophée par MM. P. D. Ross et Sweetland que Lord Stanley avait nommés dépositaires en fidéicommis.

Voici maintenant la liste des parties qui furent jouées pour sa possession.

En 1894, le club Montréal reçut un défi du club de l'Université Osgoode Hall, de Toronto, champion d'Ontario, mais la partie ne put avoir lieu, la saison étant trop avancée.

En 1895, le club de l'Université Queens, de Kingston, vint tenter d'enlever la coupe aux Montréal, mais fut défait par un score de 5 à 1. À l'issue de cette même saison, le club Victoria, de Montréal, ayant été déclaré champion de la ligue, les Montréal durent lui céder la coupe.

En 1896, le club Victoria de Winnipeg envoya une équipe à Montréal et réussit à ramener le trophée avec lui. Il battit le club Victoria de Montréal par un score de 5 à 2. La même année, ce dernier fit le voyage à Winnipeg et réussit à ressaisir la coupe, battant son adversaire par 6 contre 5. En 1897, Les Capitals d'Ottawa tentèrent d'enlever la coupe à nos Victoria, mais furent écrasés par un score de 15 à 2.

L'an dernier, 1899, les Victoria de Winnipeg firent une nouvelle tentative. Deux parties furent jouées, la première résulta en une victoire pour notre club local par un score de 2 à 1 et la seconde ne fut pas terminée, mais au moment où surgirent les difficultés qui l'interrompirent, notre club était en avant, le score étant de 3 à 2.

À l'issue de la dernière saison, le club Shamrock étant arrivé vainqueur des séries, les Victoria de Montréal durent lui céder la coupe.

Il sera intéressant pour nos lecteurs de savoir que l'équipe qui la défendra contre les Victoria de Winnipeg, les 12, 14 et 16 du mois courant, sera composée absolument des sept mêmes joueurs qui l'ont gagnée l'an dernier.

Sur l'équipe de la Ville des Prairies, cependant, il y aura une couple de changements. Les portraits que nous mettons en première page ont été faits d'après un groupe de l'an dernier. Benson et Howard n'y sont plus. Flett et Lévesque prendront leur place, tandis que le capitaine Bain, qui vient ici, mais qui ne jouera peut-être pas, mettra à sa place, le cas échéant, un autre nouveau joueur du nom de Roxburgh.

L'équipe ne sera pas pour cela affaiblie, car en dépit de ces changements, elle est invincible à Winnipeg où le club est champion du hockey, dans l'extrême-ouest, depuis sa fondation, en 1899.

Nos joueurs irlandais forment l'équipe le mieux balancée qu'il soit possible de concevoir. Tous, solidement bâtis, rapides patiners, connaissant tous les trucs du jeu, ils inventent, chaque jour, des combinaisons nouvelles qui mystifient leurs adversaires.

Trihey, individuellement, est peut être le plus brillant joueur qui n'ait jamais manié le bâton. Il trouve dans Farrell, Scanlan et Brannen des acolytes qui lui en cèdent peu. Trihey, Farrell et Brannen ont fait leurs premières armes au Collège Sainte-Marie. Ce dernier est le champion des patineurs du Canada pour la distance de 220 verges. Il ne court pas, il vole. Fred Scanlan, bien que ne s'étant joint à ses trois compagnons que depuis deux ans à peine, ne travaille pas moins fort ni moins bien que le «trio». Le travail de tête entre beaucoup dans le jeu de hockey, et ce ne sont pas tous les bons patineurs qui peuvent devenir bons joueurs de hockey. De ce côté, les quatre joueurs susmentionnés excellent, et les courses sensationnelles que font Trihey et Farrell à travers les rangs ennemis sans perdre possession de la roulette de caoutchouc leur valent souvent de chaleureuses acclamations.

Tansey et Wall, qui forment la défense, sont deux solides gaillards qu'il ne fait pas bon essayer de renverser. Wall excelle dans les «lifts» qui consistent à envoyer la roulette à distance dans l'air. De nombreux dangers pour la forteresse sont souvent éloignés par un «lift» exécuté en temps opportun, sans compter qu'il arrive quelquefois qu'un point est compté de cette façon, car le gardien des buts ennemis éprouve toujours des difficultés à voir la roulette, en l'air, et est quelquefois surpris de la voir passer entre les poteaux.

McKenna, le gardien des buts, n'est pas un fort patineur, mais c'est son oeil exercé qui fait sa force. La longue expérience de McKenna comme gardien de buts du club de crosse lui a valu la position qu'il occupe maintenant.

Les parties de hockey se jouent à l'Arena sur une couche de glace de deux cents pieds par quatre-vingts et au-dessus de laquelle quatorze grosses lumières électriques projettent l'éclat de leur feu. Des estrades immenses entourent la glace, et bien qu'elles puissent contenir au-delà de huit mille personnes, elles ont été trouvées trop petites en deux circonstances, l'an dernier, et tout semble indiquer que tel sera encore le cas, mardi en huit, alors que le club de Winnipeg et nos Shamrocks seront en présence.

JOS. MARIER

MARIER, Jos. «Pour la coupe Stanley». *La Patrie,* 3 février 1900, pp. 1 et 12.

NOTES

1. MARROU, Henri-Irenée. *Histoire de l'éducation physique dans l'Antiquité.* Paris, Seuil, 4e éd., 1958, p. 169.

2. RABECQ-MAILLARD, M.M. *Histoire des jeux éducatifs de l'Antiquité au vingtième siècle.* Paris, Nathan, 1969, p. 7.

3. RONBERG, Gary. *The Hockey Encyclopedia.* London, Collier, MacMillan, 1974, p. 14.

4. La National Geographic Society soutient que le hockey, dans sa forme moderne, est d'origine canadienne. KITCHEN, George. «Paternité du Canada reconnue». *Le Soleil,* 1er février 1958, p. 23.

5. Cette question de l'origine du hockey au Canada est l'objet d'une importante discussion chez les Anglo-Canadiens. Voir HEWITT, Foster. *Hockey Night In Canada.* Toronto, Ryerson, 1953, p. 2. ORLICK, E.M. «More on ice Hockey's Origin». *The Gazette,* 27 novembre 1943, p. 18.

6. WISE, S.F. et DOUGLAS, Fisher. *Canada's Sporting Herves.* Don Mills, General Publishing, 1974, pp. 42, 43.

7. Léon Trépanier, dans son ouvrage *On veut savoir,* tome 1, pp. 68-70, donne une description sommaire d'une partie de hockey qui aurait été jouée le «deuxième samedi de mars 1837» entre les «Canadiens» et les «Dorchester». Il donne même les noms des joueurs de l'équipe des Canadiens qui auraient remporté la victoire. Toutefois, il n'indique pas où il a puisé cette information. Les journaux de l'époque ne font aucune mention de cet événement qui n'aurait certes pas manqué de susciter la curiosité. Nous pouvons donc mettre en doute cette information jusqu'à ce qu'une source formelle vienne l'appuyer. Le même commentaire s'applique aux affirmations de John T. Knox publiées dans *The Gazette,* le 4 février 1941, p. 28, au sujet de cette partie de hockey qui aurait été jouée en 1837.

8. RICHARD, Maurice et Stan FISCHLER. *Les Canadiens sont là!* Scarborough, Prentice-Hall, 1971, p. 3.

9. «Victoria Rink». *The Gazette,* 3 mars 1875, p. 3.

10. Paul Zilbertin affirme que le *bandy* «se jouait déjà au XVIIe siècle, sur les lacs gelés d'Amérique». Aucune référence à ce sujet n'ayant été trouvée, il est permis d'en douter. ZILBERTIN, Paul. «Les sports de glace». *Jeux et sports.* Paris, Gallimard, 1967, p. 1599.

11. Ce n'est pas non plus la longueur de l'hiver qui a donné l'idée à des soldats anglais d'Halifax de jouer au hockey, comme Richard Chartrand l'affirme. Le hockey est le résultat d'une évolution culturelle autrement plus complexe. CHARTRAND, Michel. *Histoire des gardiens de buts au hockey.* Canada, Desclez, 1982, p. 9.

12. Les règles sont certainement les éléments de comparaison les plus significatifs. À titre d'illustration, qu'est-ce qui différencie le football du rugby, sinon les règles?

13. En 1845, un règlement de la ville de Québec interdit de jouer au *hurley* dans les rues de la ville. DROLET, Antonio. *La ville de Québec III: De l'incorporation à la confédération (1833-1867).* Québec, la Société historique de Québec, 1967, p. 108. À titre d'hypothèse, la «naissance» du hockey pourrait se situer entre 1850 et 1875.

14. CASTONGUAY, Émile. *Le journal d'un bourgeois de Québec.* 1960, p. 211. Malheureusement, l'auteur n'indique pas sa source d'information. Toutefois, il faut ajouter, après vérification, que les données fournies par Castonguay sont généralement exactes.

15. «Hockey». *The Gazette,* 4 mars 1875, p. 3.

16. «The Hockey Matches». *The Gazette,* 5 février 1884, p. 5.

17. «La partie de hockey de ce soir». *La Patrie,* 30 décembre 1899, p. 7.

18. «L'adoption des filets». *La Patrie,* 2 janvier 1900, p. 2. Voir à ce sujet JUNEAU, Bertrand. «Origine du filet au hockey». *Bulletin GRHAP.* Vol. 2, n° 3 (décembre 1979) pp. 60-64.

19. «Banquet aux clubs de hockey». *La Presse,* 20 mars 1903, p. 3.

20. «Hockey on ice». *The Gazette,* 27 février 1877, p. 4. Les premiers règlements du hockey ont donc été rédigés bien avant l'année 1899, comme Stan Fischler l'affirme. FISCHLER, Stan. *Op. cit,* supra, note 8.

21. «New rules for the regulation of the game». *The Montreal Gazette,* 8 janvier 1886, p. 8.

22. En 1875, deux clubs; 1876, quatre clubs; 1877, six clubs; 1878, cinq clubs; 1879, quatre clubs.

23. «Québec VS Montréal». *The Gazette,* 17 février 1882, p. 8.

24. «Sports and Pastimes». *The Montreal Gazette,* 9 novembre 1886, p. 8.

25. «Formation of a Dominion Association». *The Montreal Gazette,* 9 décembre 1886. Des représentants d'Ottawa sont aussi présents à cette réunion. Les représentants du club de Québec ont reçu une invitation, mais n'y ont pas répondu.

26. «Assistance aux parties cette saison». *La Presse,* 2 mars 1903, p. 3.

27. Il convient de souligner qu'aucun sport ne peut être qualifié de sport national du Canada. D'une part, les sports qui se pratiquent au Canada sont des emprunts culturels et d'autre part, aucun sport n'a été proclamé «sport national» par le Parlement ou l'Assemblée nationale comme cela a été fait pour d'autres éléments culturels symboliques, notamment pour les drapeaux, la feuille d'érable et la fleur de lys.

28. Les gouverneurs généraux s'associent aux sports dès le début du XIXe siècle; ils apportent une caution qui favorise le développement du sport.

29. «Lord Stanley Promises to Give a Championship Cup». *The Gazette*, 19 mars 1892, p. 8. ROXBOROUGH, Henry. *The Stanley Cup Story*. Toronto, McGraw-Hill, 1964, 207 p.

30. En 1972, à l'occasion de la fameuse série Canada-Russie, cette suprématie a fortement été remise en cause. «L'Agence Tass déclare: le mythe d'invincibilité des Canadiens est brisé». *Montréal-Matin*, 4 septembre 1972, p. 5.

31. «Les assemblées annuelles de nos ligues de hockey». *La Patrie*, 16 décembre 1901, p. 2.

32. «Les joueurs de Winnipeg victorieux à Québec». *La Presse*, 13 janvier 1898, p. 2.

33. «Québec VS Montréal». *La Presse,* 23 janvier 1899, p. 2.

34. «Ottawa VS Shamrock». *La Presse*, 8 mars 1897, p. 2.

35. «Cornwall l'emporte sur Ottawa». *La Presse*, 30 décembre 1898, p. 2.

36. «Une joute intéressante remplie d'incidents». *La Presse*, 16 janvier 1899, p. 2.

37. «Le Quebec Hockey Club suspendu pour le reste de la saison». *La Presse*, 28 février 1895, p. 5.

38. «Bagarre en règle et coup de couteau». *La Patrie*, 16 février 1897, p. 1.

39. «Liste des punitions». *Le Devoir,* 28 février 1911, p. 5.

40. «Chez nos collégiens». *La Patrie*, 8 mars 1900, p. 2.

41. «Le hockey à Arthabaskaville». *La Patrie*, 5 février 1901, p. 2. «Une telle joute au collège Saint-Laurent». *La Patrie*, 10 mars 1900, p. 12.

42. «La ligue interscolaire». *La Patrie*, 19 février 1900, p. 2.

43. «Vogue extraordinaire». *La Patrie*, 19 décembre 1898, p. 7.

44. «Hockey». *La Patrie,* 30 janvier 1900, p. 2.

45. «Joute de hockey entre dames à Trois-Rivières». *La Presse*, 10 mars 1902, p. 3. À Québec, une demoiselle Casault fait partie d'un club féminin de cette ville. «Courrier de Québec». *La Patrie*, 17 novembre 1899, p. 5.

46. «Avez-vous vu une Dame jouer au hockey?». *La Presse*, 22 janvier 1899, p. 7. (Annonce).

47. Cette vérification a été faite à partir des journaux suivants: The Gazette, La Presse, La Patrie, de Montréal; *Le Courrier de Saint-Hyacinthe* et *Le Journal des Trois-Rivières*. Fait significatif, les journaux francophones ne donnent pas de nouvelle sur le hockey avant l'année 1885.

48. «Écrasement». *La Patrie,* 22 janvier 1900, p. 7.

49. «La ligue intermédiaire». *La Patrie,* 22 janvier 1901, p. 2.

50. «Cette nouvelle ligue». *La Patrie,* 4 janvier 1900, p. 2.

51. «Sports and Pastimes». *The Gazette*, 6 janvier 1886, p. 8.

8

Les jeux athlétiques

L'étude de l'histoire nous permet de vérifier que les peuples s'adonnent à des pratiques collectives d'adresse physique – que nous qualifions trop facilement de «jeux» – depuis fort longtemps et qu'ils ont institué, des siècles avant notre ère, des concours athlétiques[1] dans le cadre de manifestations religieuses (cérémonies funéraires), politiques ou guerrières[2]. Les plus connus de ces concours, du moins de nom, sont sans aucun doute les concours olympiques institués en Grèce au moins huit siècles avant Jésus-Christ[3]. Ce sont ces concours ou combats antiques qui ont inspiré les jeux olympiques modernes dont l'institutionnalisation, sous l'impulsion du baron Pierre de Coubertin, remonte à 1896[4].

Toutefois, bien avant que de Coubertin ne propose, à son tour, la «rénovation des jeux olympiques», il se déroule dans plusieurs pays des «jeux athlétiques». Au début du XVIIe siècle, les Anglais projettent de construire un amphithéâtre à Londres afin d'y donner en spectacle «all possible exercices of the Olympiades». Le projet se réalisa un siècle plus tard, en 1720[5]. Les Anglais s'appuient donc déjà, au début du XIXe siècle, sur une tradition dans l'organisation de jeux athlétiques. Aussi, il ne faut pas se surprendre qu'ils en propagent la pratique lorsqu'ils vont s'établir dans leurs colonies. Au Québec, l'intégration de ces jeux, qui se réalise au début des années 1840, est redevable à l'initiative d'anglophones, Anglais, Écossais, Irlandais, qui viennent s'établir dans le Bas-Canada, surtout après 1815, alors que le Québec reçoit des vagues successives d'immigrants en provenance des îles britanniques.

En effet, c'est en 1843 que sont organisés, à Montréal, les premiers «jeux athlétiques» sur le terrain où se tiennent ordinairement les courses de chevaux, c'est-à-dire à la rivière Saint-Pierre[6]. Ces jeux, qui durent deux jours, comprennent dix-huit épreuves dont deux de tir à la carabine, cinq de saut, trois de course, quatre

Jeux athlétiques

Voici les résultats des tours de force et des courses qui ont eu lieu dernièrement sur le terrain des courses.

Premier jour

1- Tir à la carabine, «100 verges» — 8 compétiteurs, remporté par James Spence.

2- Tir à la carabine, «180 verges» — 7 compétiteurs, remporté par James McNider.

3- Sault par-dessus une barre, 6 compétiteurs, gagné par A. Lamontagne, 6 pieds; 2d C. Burroughs.

4- Sault en courant — 8 compétiteurs — E. Lamontagne, 4 pieds 10 pouces; 2d C. Burroughs.

5- Sault à pieds joints — 4 compétiteurs — C. Burroughs, 4 pieds 3 pouces; 2d E. Lamontagne.

6- Jeter un marteau, «15 lb.» — 14 compétiteurs — M. Ryan, 77 pieds 6 pouces.

7- Jeter un marteau, «10 lb.» — 11 compétiteurs — James Curley, 114 pieds 7 pouces; 2d Ed Burroughs, 112 pieds 7 pouces.

8- Course à pieds, «400 verges» — 9 compétiteurs — par un sauvage, Tier Ononsatekha; 2d un sauvage, Taiarencate, — temps, 49 secondes.

9- Jeter une pelote, — 12 compétiteurs — E. Lamontagne, 94 verges; 2d F. Pole 43e Régt, 93 verges 8 pouces.

10- Monter au pole — 6 compétiteurs — tous des sauvages, gagné par Ositakete.

11- «Grimming Thro' Horse Collar», par Joseph Fulham.

Vendredi, second jour

1- Course et Sault par-dessus les barrières (4 pieds) — 200 verges — 6 compétiteurs, 1er Ed Lamontagne; 2d Aug. Lamontagne.

2- Jeu de Palet — 1e E. McNider; 2d E. Hagin.

3- Petite course à pied, «120 verges» — 15 compétiteurs — 1er Ed Lamontagne; 2d Aug. Lamontagne; 3me Ed Coursolle.

4- Jeter un boulet, «21 lb.» — 15 compétiteurs — 1er Capt. Young, 25 pieds 9 pouces; 2d M. Casey.

5- Sault en courant, step — 6 compétiteurs, 1er M. Ryan, 38 pieds 2 pouces.

6- Sault à pieds joints, step, 1er M. Ryan, 28 pieds.

7- Colleter, remporté par un nommé Eacote.

Après quoi, un parti de sauvages de Caughnawaga ont fait une partie de leur jeu favori (la crosse) qui n'a pas peu contribué à l'amusement du jour.

«Jeux Athlétiques». *La Minerve*, 5 octobre 1843, p. 2.

de lancer, deux d'escalade, un jeu de palet (disque), et une épreuve de «colleter» (lutte). Une partie de crosse entre des Iroquois de Caughnawaga couronne ces deux jours d'amusement au grand plaisir des «Messieurs» qui, évidemment, sont anglophones[7]. Canadiens français, autochtones, Anglais, Écossais et Irlandais figurent au palmarès de ces compétitions sportives. Il faut toutefois souligner le brillant succès d'un Canadien français, Ed. Lamontagne, qui s'est classé premier dans quatre épreuves et deuxième dans une autre. Ce fut certainement la grande vedette de ces jeux athlétiques que l'on peut considérer comme étant les ancêtres des jeux du Québec ou du Canada.

L'année suivante, les 28 et 29 août 1844, c'est sous le patronage du Gouverneur général que sont organisés les premiers «jeux olympiques de Montréal». Le programme comprend pas moins de seize épreuves et les vainqueurs reçoivent «des médailles d'argent ou leur valeur en argent à leur choix[8]». Des jeux olympiques se tiennent de nouveau à Montréal en 1845 où Ed. Lamontagne réaffirme sa supériorité en remportant la première place du saut en hauteur à la course (5'0"), du double saut à la barre avec élan, du saut en hauteur sans élan (4'2"), de la grande course à pied de 440 verges (52 secondes), du jeu de la balle de cricket (91 verges, 4 pouces), de la course à la barrière et de la petite course à pied de 108 verges (12 secondes)[9].

Que valent les performances réalisées par Ed. Lamontagne lors de ces jeux olympiques? Pour en avoir une idée, il s'agit de les comparer avec celles des athlètes qui ont participé aux jeux olympiques tenus à Athènes en 1896.

À cette date, T. Burke, un Américain, court le 100 mètres en 12 secondes, c'est-à-dire dans le même temps que celui réalisé par Lamontagne, un demi-siècle auparavant. La performance de Lamontagne dans la course de 440 verges est encore plus significative. En effet, le même Burke, dans une course équivalente (400 mètres) qu'il remporte, ne réussit qu'un temps de 54.2 secondes. Lamontagne a couru la même distance en 52 secondes, soit 2.2 secondes de moins.

Ces jeux sont essentiellement redevables à l'initiative des anglophones. Ce n'est que vingt ans plus tard que des Canadiens français organisent de tels jeux avec le concours d'anglophones[10].

En fait, ils ajoutent à leur pique-nique un programme d'amuse-ments qui comprend des jeux athlétiques. S'amorçant de Mont-réal, le phénomène des jeux athlétiques s'étend à Québec vers 1870[11], puis à Saint-Hyacinthe en 1872[12]. Il ne semble pas se signaler ailleurs au XIXe siècle[13]. De tels jeux sont organisés par des institutions d'enseignement, comme l'université McGill et le collège Sainte-Marie[14], les clubs de crosse[15], mais surtout par des associations d'hommes de métiers (typographes, épiciers, ouvriers, cigariers, bouchers, etc.), des sociétés de bienfaisance (Saint-Vincent-de-Paul) ou patriotiques (Société Saint-Jean-Baptiste)[16], dans le cadre de pique-niques.

À partir des années 1880, des jeux athlétiques sont organisés chaque année, et même plusieurs fois par année, dans les villes de Montréal et Québec durant la saison estivale, mais surtout durant les mois d'août et septembre. C'est un phénomène essentielle-ment urbain dont la popularité se compare, et même dépasse en certaines occasions, celle des sports les plus en vogue à l'époque, c'est-à-dire la crosse, le baseball et le hockey. Ces sports attirent des foules importantes, mais ce sont des spectateurs, alors que dans les pique-niques, chaque individu est impliqué personnelle-ment: tous et toutes participent activement. Dans le cas des sports, le rôle essentiel appartient aux joueurs et non aux specta-teurs. C'est tout différent pour les pique-niques alors que les parti-cipants assument les deux rôles: acteurs et spectateurs. Le sport spectacle est produit pour le peuple tandis que le pique-nique est un produit du peuple.

Il s'agit vraiment d'une participation populaire. En 1886, le pique-nique des épiciers, tout comme celui des cigariers, rassem-blent deux mille personnes[17]. Celui des bouchers, en 1888, rallie plus de cinq mille personnes[18], en 1890, trois mille[19]; en 1899, trois mille cinq cents[20]. Bien sûr tous les pique-niques ne sont pas aussi importants, mais ceux qui réunissent mille per-sonnes sont fréquents. Peu d'événements, à part les rassemble-ments politiques et religieux, sont plus populaires.

Comment se déroulent ces pique-niques? Souvent, ils com-mencent par une «procession» dans les rues de la ville jusqu'au lieu du pique-nique[21]. C'est un grand déploiement, une démonstration de force collective. Une fanfare, ou un orchestre, accompagne ordinairement les pique-niqueuses et pique-niqueurs. Chacun apporte son repas que l'on prend «sur les tables dressées pour la circonstance, ou sur l'herbette, pour faire justice à l'appétit excité par le voyage[22]». Des «rafraîchissements de toutes sortes» sont servis par un restaurant. Les jeux athlétiques ont lieu dans l'après-midi, puis c'est la remise des prix aux gagnants des différentes épreuves en présence de dignitaires, soit des hommes politiques (maire, député, ministre, Gouverneur général, etc.) ou des chefs ouvriers qui en profitent pour haranguer la foule sur des questions morales, sociales et politiques. Les discours sont souvent une partie importante de la fête, notamment dans le cas des pique-niques des hommes de métiers et des sociétés patriotiques. En soirée, chacun prend le chemin du retour, après avoir dansé et admiré un feu d'artifice. En somme, une bonne journée de plaisir qui permet aux travailleurs de se récréer, se reposer un peu de la fatigue qu'entraînent les longues journées de travail[23].

Il convient de souligner que les jeux athlétiques qui font partie de ces pique-niques comprennent presque toujours des épreuves pour les filles et les femmes. Ce n'est pas le cas lorsqu'il s'agit de jeux athlétiques dont le caractère est rigoureusement sportif alors que la femme est confinée à un rôle de spectatrice. Ces fêtes impliquent vraiment tous les pique-niqueurs et pique-niqueuses.

Il existe une différence entre les jeux athlétiques organisés par les anglophones et ceux organisés par les Canadiens français. Alors que les jeux athlétiques mis sur pied par les anglophones se manifestent de façon autonome, c'est-à-dire sans autre but, ceux organisés par les Canadiens français le sont toujours dans le cadre d'une autre manifestation traditionnelle, soit un pique-nique, une fête patronale ou champêtre, soit à l'occasion d'une fête civique ou de la Fête du travail. Pour les Canadiens français, les seules valeurs sportives ne constituent pas de motifs suffisants pour justifier en soi ces amusements; les jeux athlétiques ne sont qu'un amusement parmi d'autres. L'action centrale, essentielle, c'est le pique-nique, c'est-à-dire le repas en plein air sur l'herbe.

De plus, il faut ajouter que les activités physiques inscrites au programme des jeux athlétiques respectent plus ou moins, à l'occasion pas du tout, le modèle sportif. Il s'agit le plus souvent de mimétisme sportif. Au programme de ces jeux athlétiques on

Courses et jeux traditionnels faisant partie du programme des jeux athlétiques en milieu urbain entre 1860-1900[1]

Course avec sac, ou course en sac
Course aux barrières avec sac
Course à la brouette, ou course à la brouette vivante
Course aux patates, ou course à la patate
Course au cochon graissé
Course au mouton graissé
Course après le veau farouche
Course aux œufs (femmes)
Course avec un œuf dans une cuillère (femme)
Course au savon (femme)
Course en enfilant une aiguille (femme)
Course en allumant une pipe, ou course à la pipe
Course à trois jambes
Course les jambes liées
Course avec seaux d'eau
Course dans un baril
Course à travers les barils
Marcher sur un mât graissé
Grimper au haut d'un poteau graissé
Jeu du pot cassé (femme)
Avaler la ficelle

---

1. Sondage réalisé dans *Le Canadien* de Québec, *La Presse* et *La Patrie* de Montréal.

retrouve, entremêlées parmi des activités sportives des activités physiques traditionnelles telles que la course du cochon graissé, la course en sac, la course avec un oeuf dans une cuillère, la course aux patates, la course au veau farouche[24]... Ces activités physiques indiquent bien l'origine rurale de ces citadins encore mal adaptés à la vie urbaine.

De plus, ces jeux se déroulent sans relation aucune avec le système sportif, c'est-à-dire en marge de la structure fortement hiérarchisée du sport qui valorise le meilleur, l'unique, le champion. Aussi, les participants ne sont pas sélectionnés, les résultats ne sont pas homologués et les épreuves qui font partie du programme des jeux sont déterminées en fonction des groupes sociaux ou des catégories sociales auxquelles appartiennent les personnes qui participent à la fête. C'est ainsi que l'on retrouve des compétitions pour jeunes filles de dix ans et au-dessous, pour les cigariers, pour les membres de la brigade de feu, pour les hommes gras. Pour la période 1880-1900, pas moins de cinquante-six catégories différentes de ce type sont distinguées et ce, même pour des épreuves sportives comme les courses de 100, 200, 400 verges[25]. Les ressemblances entre les aspects formels des activités physiques et le sport véritable sont superficielles. L'esprit du sport en est absent, c'est l'esprit festif qui domine.

Les organisateurs ne tiennent pas compte des performances, mais seulement des trois premiers gagnants pour attribuer des prix qui sont généralement des sommes d'argent ou des objets utilitaires d'une certaine valeur. Les gagnants peuvent mériter un parapluie en soie, une boîte de cigares, un chapeau de feutre, une paire de souliers, une veste de fantaisie, un voyage de bois, une machine à coudre[26], etc. L'intérêt suscité par la récompense est prédominant. Même les moindres amateurs d'occasion sont appâtés par des gains matériels et les organisateurs canadiens-français en sont bien conscients. Aussi agissent-ils en conséquence.

Ce n'est donc pas l'émulation sportive qui préoccupe les travailleurs de la fin du XIXe siècle. Visiblement, ils organisent des pique-niques pour s'amuser, mais surtout pour développer des solidarités entre eux et pour mieux défendre leurs intérêts «car leur cause est juste[27]». Ces pique-niques sont aussi l'occasion privilégiée pour faire connaître à l'ensemble de la société les problèmes

Pique-nique des bouchers aux terrains de l'exposition

Bon succès!

La fête annuelle des bouchers commencée hier matin par une parade dans nos rues, s'est terminée hier par un pique-nique, des plus réussis. Trois mille personnes ont visité dans la journée les terrains de l'exposition.

Les bâtisses étaient pavoisées de drapeaux et tout le monde s'amusait avec grand entrain.

Dans une des ailes de la bâtisse, l'orchestre italien de Blazis faisait entendre ses airs les plus entraînants et les nymphes au pied léger, entraînées par les galants dans les tourbillons de la valse, se livraient à toutes les émotions de la sauterie et de la danse.

L'organisation avait sagement pourvu à ce qu'il ne manquât pas de rafraîchissements.

Tout s'est passé dans le meilleur ordre possible. Un peloton d'hommes de police, sous la conduite du sergent Charbonneau, était sur les lieux.

Pendant les jeux de l'après-midi, l'Harmonie, installée sur le grand estrade, égayait l'auditoire des meilleurs morceaux de son répertoire.

Les comités étaient composés comme suit:
Juges — M. Laforce, Israël Daoust, J. B. Deslauriers.

Réception — J. B. Bourassa, D. Contant, G. Granger, Ed. Leduc.

Finances — J.B. Deschamps, A. Paré, P. Bédard, A. Beaucaire.

Police — Fabien Giroux, J. Denis, D. Masson.

Jeux — M. W. Lareau, juge des jeux et courses à pied; A.A. Boudreault, O. Dérome, jr., C. Charbonneau.

Courses — J.B. Deslauriers, Louis Delorme, jr.

Danse — O. Hogue, Ed. Rousseau.

Commissaires-ordonnateurs — P. Bédard, B. Brousseau.

Président, F. Bayard; trésorier, J.B. Deschamps; secrétaire, H.W. Lareau.

Secrétaire général des entrées des courses, jeux, etc. — Jos. Ls. Carié.

Course de garçons, 12 ans et au-dessous, un demi-tour — 1er, W. Bellefleur; 2e, A. Paquette (tous deux protestés).

Hommes de police et pompiers, un tour — 1er, J. Coleman, 2e, J. Currie; 3e, S. Lamarche.

Course de chevaux au galop (ouverte), 2 dans 3 — 1er, Tantrun à Minogne; 2e, Little Charley à J. Minogue; 3e, Fanny à J. Arsenault.

Saut de hauteur à pied — 1er, N. Bonneamie (?), 2e, A. Miller; 3e, G.C. Platt.

Course au trot, chevaux de bouchers (sulky), 2 dans 3 — 1er, Saint-Vincent; 2e, E. Trottier; 3e, J. Boudreau; 43, J. Leroux.

Course à pied avec barrière, 3 pieds de hauteur, 1 tour — 1er, J. Coleman; 2e, A. Miller; 3e, Tring.

Course dans les sacs, 150 verges — 1er, McBratney; 2e, Platt; A. Mathieu.

Course de chevaux de trait de bouchers (au galop) flat race, 4 tours — 1er, Dusseault; 2e, Lamb; 3e Trottier.

Course de jeunes filles, 10 ans, 150 verges — 1er, Carrie McNully; 2e, Gertie Rafferty.

Course en brouette vivante — 1er, G. Platt et W. Bay; 2e, Irwing et Black; 3e, Miller et White.

Course à barrière (chevaux) ouverte, 4 tours — 1er, Little Charlie; 2e, Birdeather, 3e, Eunice.

Course après le veau farouche — W. Ray (saisi dans une clôture!).

Course en sulky pour chevaux de travail de charretiers et d'écurie de louage — 1er, White Bird, de Hoofsetter; 2e, Jolly Girl, de A. Labelle; 3e, Little Jennie, 4e L'Allemand.

Le plus haut saut pour chevaux (ouvert) — 1er, Little Blue à Morrice; 2e, Cheval à D. Dagenais.

Course aux patates, ouverte — 1er, Miller; 2e, Irving; 3e, Platt.

Course à pied, amateurs bouchers (1 tour) — 1er, Lulk; 2e, Caron; 3e, Pressault.

Course des hommes gras, pas moins de 200 lbs (bouchers) — 1er O. Hogue; 2e, David Larin; 3e, Joseph Levac.

Course aux œufs pour filles moins de 13 ans — 1er, Mellie Gill; 2e, Joséphine Cloutier; 33, Azilda Cloutier.

Course en buggy pour chevaux de travail de bouchers (6 tours) — 1er, A. Trottier; 2e, Lecavalier; 3e, Bourque; 4e, Jos. Ethier.

Lancer un poids de 56 lbs — 1er, J. Currie, 2e, Loye.

«Pique-Nique des Bouchers». *La Presse*, 21 août 1890, p. 4.

des travailleurs et de légitimer leurs revendications pour de meilleures conditions de travail. Ils sont un mode d'affirmation de l'identité d'une classe sociale qui manifeste son émergence.

Comment pouvait-il en être autrement? En effet, comme l'a démontré Terry Copp, à la fin du XIXe siècle, les travailleurs de Montréal, qui constituent les deux tiers de la main-d'œuvre de la ville, ont un revenu annuel moyen «de 20 à 30% en deçà du seuil de la pauvreté[28]». Pour s'assurer le minimum vital, les ouvriers travaillent six jours par semaine, de douze à seize heures par jour. Ils vivent dans des logements trop petits et insalubres. Plus de la moitié de ces logements ne possèdent pas les commodités sanitaires élémentaires[29]. Comment auraient-ils pu s'adonner à des activités physiques qui demandent du temps et de l'argent, ne possédant manifestement ni l'un ni l'autre!

Il ne faut donc pas s'étonner que les travailleurs du XIXe siècle n'aient pas intégré la mentalité et les valeurs sportives. La pratique du sport chez eux est vraiment trop occasionnelle pour qu'ils puissent se familiariser avec le code sportif élaboré par les anglo-protestants.

Les jours de fête et le dimanche sont les seuls moments pour les travailleurs de refaire leurs forces physiques et morales. Aussi préfèrent-ils aux activités sportives, qui exigent de fortes dépenses d'énergie et une préparation particulière, des activités physiques et sociales amusantes qui favorisent la détente et le repos. Ils en avaient grandement besoin.

Ces pique-niques sont aussi l'expression d'une nostalgie des origines rurales, d'un besoin de retour à la nature, à la vie champêtre dans ce qu'elle a de plus agréable: son aspect festif. Les ouvriers des villes sont heureux de quitter leur quartier misérable pour vivre quelques heures dans un milieu salubre auquel ils n'ont accès que quelques fois par année.

Pique-nique annuel des commerçants de fruits de Montréal

L' association des commerçants de fruits de Montréal fera, samedi prochain, son pique-nique annuel au Parc Mascotte, coin des rues DeLorimier et Ontario. Le programme des amusements est très élaboré.

Voici le programme des jeux:

1- Poteau graissé.

2- Marcher sur la mât graissé.

3- Course pour dames mariées, 50 vgs. 1er prix, 1 boîte (1 doz. d'Essences Bourbonnière), 2e, 25 lbs de fleur.

4- Course de garçons 15 ans et au-dessous, 25 verges, 1er, 1 pantalon, 2e, 1/2 boîte d'oranges.

5- Course de jeunes filles, 25 verges, 1er, 1 boîte de bonbons; 2e, 1 parfumeuse.

6- Course en sac, 50 verges, 1er, 1 branche de bananes; 2e, 1/2 boîte d'oranges.

7- Course des membres de l'association, 75 verges; 1er, 1 montre; 2e, 1 canne.

8- Course au savon pour dames, 1er, le savon.

9- Course à trois jambes, 50 verges, 1er, 2 branches de bananes.

10- Saut en longueur: 1er, 1 branche de bananes; 2e, 1/2 boîte d'oranges.

11- Course de filles et dames, enfilant une aiguille, 50 verges: 1er, 1 boîte de toilette; 2e, 1 set pour Dames.

12- Course avec obstacles, 100 verges: 1er, 1/2 boîte d'oranges; 2e, 1 branche de bananes.

13- Course des membres des comités: 50 verges: 1er, bague; 2e, 1 parapluie.

14- Course, allumer la pipe, 75 verges: 1er, 1 bouteille scotch; 2e, 1 branche de bananes.

15- Course aux oeufs, pour filles et Dames: 50 verges: 1er, 1 bouteille parfum; 2e, 1 bouteille de liqueur.

16- Course de la police, 250 verges: 1er, 1 branche de bananes; 2e, 1/2 boîte d'oranges.

17- Course aux patates, pour hommes: 1er, 1 bouteille Scotch Whisky; 2e, 1/2 boîte d'oranges.

18- Course des hommes gras, 190 livres, 50 verges, 1er, 1 branche de bananes; 2e, un jambon.

19- Course pour Dames des membres de l'association, 25 verges: 1er, une montre; 2e, 1 doz. cuillères à thé.

20- Course ouverte, 250 verges: 1er, 1 bouteille scotch; 2e, 1/2 boîte d'oranges.

21- Course pour jeunes filles des membres de l'association, 50 verges: 1er, 1 paire de souliers; 2e, une bouteille de parfum.

22- Course des invités, 50 verges: 1er, 1 boîte de cigares; 2e, 1 bouteille de brandy.

23- Course des commerçants n'appartenant pas à l'association, 50 verges: 1er, 1 bouteille de Scotch; 2e, 1 boîte de cigares.

24- Concours pour lancer un poids: 1er, 1 branche de bananes; 2e, 1/2 boîte d'oranges.

25- Concours aux bananes: 1er, 1 chapeau; 2e, 1/2 boîte d'oranges.

26- Course en se déshabillant à mi-chemin, 75 verges: 1er, branche de bananes, 2e, 1/2 boîte d'oranges.

27- Veau graissé.

28- Partie de baseball, Montagnard vs P.A.A.A., 10 médailles en argent aux gagnants.

Les nos 1, 5, 9, 10, 19, 23 et 26, 25 cents d'entrée.

Les autres numéros sont ouverts à tous les amateurs.

Le comité se réserve le droit de changer l'ordre du programme.

La décision des juges sera finale.

La distribution des prix se fera lundi soir, le 15 juillet, à 8 heures, aux salles du club Mascotte.

«Pique-nique annuel des commerçants de fruits de Montréal». *La Patrie,* 9 juillet 1901, p. 2.

NOTES

1. C'est-à-dire entre ceux qui combattent, des soldats.

2. HOMÈRE. *Iliade*. Chant XXIII.

3. COLIN, Faustin. *Pindare*. Strasbourg, Silbermann, 1841, p. 58.

4. COUBERTIN, Pierre de. *Mémoires olympiques*. Lausanne, Bureau international de pédagogie sportive, 1931, 218 p. Si l'inspiration vient de la Grèce antique, le programme des premiers jeux olympiques tenus en 1896, lui, est largement influencé par les sports anglais. De plus, il ne faut pas parler de rétablissement des jeux olympiques comme Coubertin lui-même le fait, car entre les concours antiques et les jeux olympiques, il n'y a aucune commune mesure. Les Grecs de l'antiquité n'ont jamais pratiqué le sport; leurs concours étaient des manifestations religieuses et politiques.

5. UMMINGER, Walter. *Des hommes et des records*. Paris, La table ronde, 1962, p. 243.

6. Cet hippodrome a été inauguré en août 1830. (Les courses à Montréal...). *La Minerve*, 16 août 1830, p. 3.

7. «Jeux Athlétiques». *La Minerve*, 28 septembre 1843, p. 2. «Jeux Athlétiques». *La Minerve*, 5 octobre 1843, p. 2.

8. «Jeux Olympiques». *La Minerve*, 5 août 1844, p. 1.

9. «Jeux olympiques de Montréal». *La Minerve*, 1er septembre 1845, p. 2. «Montreal Olympic Games». *Montréal Gazette*, August 29, 1845, p. 2.

10. «La Société Saint-Vincent-de-Paul». *La Minerve*, 23 août 1864, p. 3.

11. «Jeux Athlétiques du 69e remis». *Le Canadien*, 28 septembre 1877.

12. «Amusements». *Le Courrier de Saint-Hyacinthe*, 15 septembre 1877.

13. Il arrive que des associations organisent un pique-nique à l'extérieur de leur lieu d'origine, il ne s'agit donc pas d'une initiative locale. C'est le cas notamment de la Société Saint-Jean-Baptiste qui, après une excursion à Sainte-Catherine, dans le comté de Portneuf, organise des jeux athlétiques. «Excursion nationale». *Le Soleil*, 22 juin 1899, p. 8.

14. «Jeux athlétiques des élèves du collège McGill». *La Presse*, 24 octobre 1884.

15. «Jeux Athlétiques et Assaut». *Le Canadien*, 2 octobre 1882, p. 3.

16. «Pique-nique». *La Minerve*, 12 août 1858, p. 3. «Grande fête». *La Minerve*, 5 septembre 1861. «La fête champêtre d'hier». *La Patrie*, 31 août 1899, p. 2.

17. «Pique-nique des épiciers». *La Presse*, 13 août 1886, p. 4. «Le pique-nique des cigariers». *La Presse*, 6 septembre 1886, p. 4.

18. «Pique-nique des bouchers». *La Minerve*, 13 septembre 1888, p. 1.

19. «Pique-nique des bouchers». *La Presse,* 21 août 1890, p. 4.

20. «La fête champêtre d'hier». *La Patrie,* 31 août 1899, p. 2.

21. À Montréal, ces pique-niques se tiennent à l'Île Sainte-Hélène, aux Parcs Sohmer, du Mont-Royal, Delorimier, Riverside, Mascotte, au Queen's Park, à Elmwood Grove, sur le terrain de l'Exposition, aux Jardins Guilbault et Victoria. À Québec, sur l'Esplanade, les Plaines d'Abraham et au Parc Savard.

22. «Pique-nique des épiciers». *La Presse,* 13 août 1886, p. 4. Deux mille personnes participent à ce pique-nique des épiciers de Montréal qui se tient à Saint-Hyacinthe. L'excursion se fait par train.

23. Ces pique-niques sont ordinairement calmes et ordonnés. Aucune violence, ni perturbation sociale n'ont été constatées entre 1860 et 1900.

24. Pour la période 1860-1900, j'ai inventorié pas moins de vingt-cinq de ces activités physiques traditionnelles, dont le caractère ludique est évident, inscrites aux programmes des jeux athlétiques. Des activités telles que les courses à pied, la course «sur une vieille rosse» (un vieux cheval) ou la poursuite d'un cochon graissé font partie du programme des premières foires agricoles dans les années 1820. Voir TRUDEAU, R. *Mes Tablettes,* vol. 1, p. 45. Cité par OUELLET, Fernand. *Histoire économique et sociale du Québec 1760-1850.* Montréal, Fides, 1966, p. 255. Toutefois, certaines de ces activités (*hunting a pig, running in sacks, and smock races*) seraient d'origine britannique. Voir à ce sujet «The origin of modern sports and games». *The Sporting Magazine.* December 1802, p. 131.

25. Voir, entre autres, le programme du pique-nique des bouchers à l'occasion de la fête du travail. «La fête du travail». *La Patrie,* 29 août 1899, p. 2.

26. «Excursion Nationale à Sainte-Catherine». *Le Soleil,* 22 juin 1899, p. 8. Il s'agit de jeux athlétiques organisés par la Société Saint-Jean-Baptiste de Québec.

27. «Pique-nique des Ouvriers». *La Presse,* 23 août 1886, p. 4.

28. COPP, Terry. *Classe ouvrière et pauvreté. Les conditions de vie des travailleurs montréalais 1897-1929.* Montréal, Boréal Express, 1978, p. 36.

29. *Ibidem,* p. 14.

9

La natation

C hez les peuples de la plus haute Antiquité, l'usage des bains faisait partie des pratiques religieuses et hygiéniques. Ils considéraient l'eau comme une source de vie, un moyen de purification et de régénérescence[1]. Le Rig Veda, composé entre le Xe et le XIIe siècle avant notre ère, accorde à l'eau un principe de vie, de force et de pureté corporelle et spirituelle[2]. Cependant, nous ne savons à peu près rien quant à la pratique de la natation qui pouvait alors être en usage.

Les Grecs anciens accordaient aussi une grande importance aux bains, surtout aux bains en eau froide, pour endurcir le corps. Du temps de Platon, un proverbe disait que l'ignorant était celui qui ne savait «ni lire, ni écrire, ni nager[3]». Il ne faut cependant pas conclure pour autant, comme le fait Henri-Irénée Marrou, que rien n'était «plus répandu chez eux que la pratique de la natation»[4]. En effet, si les Grecs accordent une certaine importance à la natation, notamment dans la préparation militaire des citoyens, cette importance n'est toutefois pas suffisante pour qu'ils en fassent une épreuve de leurs nombreux concours athlétiques[5]. Il ne faut pas confondre un proverbe satirique avec la réalité quotidienne. Ni l'usage des bains avec la pratique de la natation.

Sous l'Empire romain, les thermes se multiplient à Rome, de même que dans les provinces. Cependant, ces bains où les citoyens se retrouvent en grand nombre presque tous les jours, ne sont pas conçus pour la pratique de la natation, mais plutôt pour l'hygiène et surtout pour les plaisirs[6]. La natation n'est certainement pas «alors un sport plus répandu que de nos jours», tel que le prétend Paoli[7]. Elle n'est surtout pas pratiquée dans sa forme sportive.

Aucune source de l'Antiquité ne permet de déterminer l'importance concrète accordée à la natation, tant chez les Grecs que chez les Romains. L'usage des bains, dont les raisons sont, avant tout, hygiéniques et sociales, n'a pas développé chez eux la pratique de la natation.

Durant tout le Moyen Âge français, c'est-à-dire durant mille ans, la natation n'aurait pas davantage été en vogue. Si Paris compte, en 1292, vingt-six bains publics, ils servent avant tout à des fins hygiéniques. Réprimés par le clergé catholique, les bains furent si peu pratiqués que certaines mauvaises langues ont affirmé que les Français avaient été «mille ans sans bain[8]». Une telle affirmation est évidemment sans fondement historique. Le clergé n'a pas en effet réussi à réprimer complètement l'usage des bains.

Au XVIe siècle, Rabelais fait de la natation un moyen d'éducation corporelle pour son héros Gargantua qui «nageoit en profonde eau, à l'endroict, à l'envers, de cousté, de tout le corps, des seulz pieds, une main en l'air, en aquelle tenant un livre transpassoit toute la rivière de Seine sans icelluy mouiller, et tyrant par les dens son manteau, comme faisoit Jules César[9]».

L'éducation de Gargantua est loin, très loin d'être celle que reçoit, ou peut recevoir, le Français «ordinaire»; la conception de Rabelais est utopique. Les Français des XVIe et du XVIIe siècles ne sont pas des adeptes de la natation. Gargantua est très certainement le seul Français à nager aussi adroitement... dans le monde imaginaire de Rabelais.

Même la pratique des bains est moins répandue que jadis. L'historien Alfred Ramband prétend que le Roi Louis XIV ne prit qu'un bain durant toute sa vie, et encore sur la prescription formelle de ses médecins[10]. Ce qui, bien sûr, est faux car nous savons que le Roi, même s'il n'aimait pas cela, prenait des bains surtout durant la saison estivale[11]. Mais l'usage des bains ne signifie en rien que la pratique de la natation soit aussi courante. Loin de là. Aussi, parmi les Français qui viennent coloniser le Canada au début du XVIIe siècle, rares sont ceux qui savent nager. En effet, le nombre élevé de noyades qui surviennent en Nouvelle-France en témoigne.

Un sondage sommaire[12] indique que pas moins de trois cent quatre-vingt-douze personnes, dont la très grande majorité, soit 74%, sont des jeunes hommes, se sont noyées entre 1611 et

Noyades en Nouvelle-France (1611-1760)

PÉRIODE	SEXES					TOTAL
	H	**F**	**G**	**F2**	**I**	
1611-1620	1					1
1621-1630						0
1631-1640	7					7
1641-1650	25		1			26
1651-1660	22	1		1		24
1661-1670	23	2		1	4	30
1671-1680	18	2	5			25
1681-1690	24	2	4	1		31
1691-1700	21	3	3	3		30
1701-1710	9	3	7		1	20
1711-1720	17		5			22
1721-1730	32	3	7	1		43
1731-1740	29	7	4	1	15*	56
1741-1750	20	2	3	1		26
1751-1760	35	1	2		1	39
TOTAL	283	26	41	9	21	380**

H: hommes
F: femmes
G: garçons (moins de 15 ans)
F2: filles
I: inconnu
* dont six enfants
** À ce total, il faut ajouter douze personnes (dix hommes, une femme et un garçon) dont la date de la noyade n'est pas connue.

1760. Le tableau ci-contre indique la répartition de ces noyades par décennie.

Aucune indication dans les archives ne permet de prétendre à une certaine vogue de la natation au Québec avant le milieu du XIXᵉ siècle. Durant tout le siècle, les nouvelles publiées dans les journaux qui rapportent des noyades sont de beaucoup plus abondantes et régulières que celles concernant la pratique ou les exploits de natation.

Toutefois, dès le début du XIXᵉ siècle, l'intérêt des citadins pour la villégiature et les stations balnéaires se développe. L'une des premières stations balnéaires, sinon la première, est le village de Kamouraska où déjà, dès 1810, des touristes y séjournent en grand nombre[13]. Vers le milieu du siècle, Rivière-du-Loup, Cacouna, La Malbaie, Rivière-Ouelle, Chicoutimi, Les Éboulements, Tadoussac deviennent également des lieux de villégiature très fréquentés par les bourgeois américains, anglais et canadiens. De 1850 à 1900, la multiplication de ces lieux dans le bas du fleuve Saint-Laurent — Rimouski, Métis, Notre-Dame-du-Portage, Cap-à-l'Aigle, Baie-Saint-Paul, L'Islet, etc. —, témoigne de la popularité croissante des séjours de villégiature chez les citadins à la recherche de tranquillité, d'espace et d'air pur.

Dans la région de Montréal, Pointe-Claire, Pointe-aux-Trembles, l'Île-Perrot, Rigaud, Coteau-du-Lac, Sainte-Rose, Dorion, Papineauville, Sainte-Anne-de-Bellevue, Chambly, Saint-Vincent-de-Paul, Longueuil, Beloeil, etc., sont les lieux de villégiature les plus fréquentés par les Montréalais.

Ces stations balnéaires et lieux de villégiature ne sont pas tant recherchés pour la pratique de la natation que pour la tranquillité et l'air pur, de la mer ou de la campagne, à laquelle on attribue des vertus hygiéniques salutaires à la santé. On s'y baigne, pour prendre contact avec l'eau, mais jamais longtemps car l'eau de mer est glaciale. Arthur Buies, qui en a fait l'expérience à Tadoussac, durant l'été 1871, nous a laissé ses impressions plutôt désagréables:

«L'onde est trompeuse comme la femme; c'est pour cela qu'elle attire. Séduit par la limpidité attrayante de ces flots qui venaient mourir si amoureusement sur le sable, et brûlant de me reposer de deux jours de voyage fatigant, je me déshabillai à la

Aux bains de mer
Durant tout le XIXe siècle, ce n'est pas la natation de compétition qui retient la faveur populaire, mais plutôt les stations balnéaires (Cacouna, Kamouraska, etc.) où l'on va se baigner certes, mais surtout se reposer, faire des excursions, des pique-niques et des voyages de plaisir.
Le Soleil, 24 août 1900, p. 1.

hâte et me précipitai comme je l'aurais fais dans un bain public de Montréal. Juste ciel! Dieux vengeurs! Je revins à la surface de l'eau comme un homme qui a le tétanos, le corps en deux, les pieds dans les oreilles. Et quelle tête! Comme l'échine d'un porc-épic. J'étais tout horripilé; l'estomac me rentrait dans le dos et les muscles de mon visage dansaient la gigue. Une, deux; je me dilatai et je poussai des bras pour regagner la rive; mais j'avais une vingtaine de crampes dans les jambes. Ô ma patrie! quel danger tu courus ce jour-là[14].»

Ce témoignage nous fait comprendre pourquoi les stations balnéaires n'incitent pas à la pratique de la natation.

Mais il n'y a pas que la pratique des bains de mer qui se développe au début du XIXe siècle. Tous les bourgeois n'ont pas les moyens de se rendre à la mer, mais tous expriment leur volonté de se distinguer des «gens peu aisés». Aussi, en milieu urbain, notamment à Québec et à Montréal, des «entrepreneurs» ouvrent des établissements où il est possible de prendre des bains chauds et froids.

En 1817, Ed. Harbottle «informe respectueusement le Public qu'il a la conduite des Bains de Québec, dans la Rue Saint-Charles, près de la Porte du Palais, lesquels seront ouverts pour la commodité du Public en tout temps, depuis sept heures du matin jusqu'à huit heures du soir». Cet établissement de bain offre aussi des «déjeuners, dîners, collations et soupers» de premier ordre[15].

Conscients des vertus hygiéniques que les bourgeois accordent à l'eau de mer, Daniel Wood fait ample provision d'eau de Kamouraska, station alors très fréquentée, afin d'offrir «des bains d'eau salée, soit chauds ou froids[16]». À Montréal, les Bains de la Cité sont ouverts en 1835. Ces bains, situés rue des Commissaires «dans une des parties les plus salubres et aérées» de la ville offrent aussi «une des plus belles vues du Saint-Laurent et des contrées des environs[17]». L'établissement est ouvert tous les jours «de 5 heures du matin à 10 heures du soir. Les Dimanches de 5 à 10 heures du matin[18]». En 1846, il en coûte trente sous pour prendre un bain ou une douche[19]. À la même époque, les Montréalais[20] peuvent aussi se rendre aux Bains de Montréal, 50, rue Craig, appartenant à Geo. Garth[21].

Ces bains veulent répondre essentiellement à des besoins

Avis aux baigneurs

A u moment où les baignades en pleine eau deviennent générales, il est bon de rappeler les dangers que doivent éviter les baigneurs.

Ce sont d'abord les plantes aquatiques, longues, minces, souples, véritables rubans s'élevant du fond de l'eau, se penchant toutes dans le même sens, obéissant au moindre mouvement, et qui, lorsqu'on jette sur elles quelque objet, s'agitent, ondulent, se tordent dans tous les sens et s'enroulent comme des serpents.

La sensation première que font éprouver ces herbes filandreuses et gluantes est désagréable; il faut se rendre maître de ce sentiment, et avant tout ne pas fuir, mais rester immobile et se maintenir à la surface de l'eau, parce que plus on enfonce, plus les herbes deviennent abondantes.

Il faut donc faire la planche, qui ne nécessite qu'une légère agitation des mains, ou rester sur le ventre, prendre une longue respiration et plonger la tête dans l'eau, en la relevant de temps en temps pour reprendre haleine. On flotte comme un liège, et, peu à peu, on s'éloigne des plantes.

Le second danger est le tourbillon. Il vous engloutira, mais il vous rejettera, de lui-même. C'est l'affaire de quelque secondes.

Enfin, il y a la crampe. La crampe paralyse les mouvements du nageur. Il doit dans ce cas se mettre sur le dos et se maintenir avec les mains, en contractant peu à peu son pied pour le porter en avant, comme fait un homme qui veut marcher sur les talons.

On le voit, la principale qualité d'un nageur est le sang-froid, et il est bon de s'habituer d'avance à voir le danger sans se troubler. C'est le meilleur et le plus sûr moyen de s'en tirer.

«Avis aux baigneurs». *Le Canadien,* 27 juillet 1868, p. 2.

hygiéniques car nombreuses sont les habitations qui ne possèdent pas de baignoire. Le prix d'un bain est trop élevé pour que les ouvriers puissent y avoir accès sans «se mettre à la gêne». Au milieu du siècle, la presse, surtout *La Minerve* de Montréal, fait campagne pour l'établissement d'une «maison de Bains et de Blanchissage Publique» qui serait «particulièrement accessible aux classes peu fortunées[22]». Déjà, le prix d'entrée aux bains flottants installés vis-à-vis le Marché Bonsecours, est réduit à quinze sous[23], mais c'est encore trop coûteux pour les ouvriers qui ne peuvent payer plus de six sous.

Cette idée de bains flottants, non seulement pour la baignade, mais aussi pour la pratique de la natation, sera reprise par la ville de Montréal qui en installera un près du pont Wellington en 1883[24], puis dans Hochelaga l'année suivante[25]. L'accès à ces bains est gratuit. Aussi, le bain de la rue Wellington reçoit de quatre à cinq mille personnes par semaine[26]. À la fin du siècle, la ville de Montréal possède trois bains qui sont accessibles sans frais: ce sont le bain Gallery, du nom d'un échevin bienfaiteur, situé près du pont Wellington, pour la partie ouest de la ville; le bain d'Hochelaga, situé au coin des rues Hudon et Saint-Michel, pour la partie est. Le troisième bain est localisé à l'Île Sainte-Hélène. En 1902, plus de cent vingt mille entrées à ces bains gratuits sont dénombrées[27].

Si les «gens aisés» peuvent se payer des vacances dans les stations balnéaires du Bas Saint-Laurent ou encore des bains chauds ou froids dans les établissements de bains des villes de Québec et Montréal, les travailleurs, eux, doivent se contenter du fleuve, des rivières, ruisseaux et lacs. Les gens du «commun», hommes et femmes, s'adonnent à la baignade durant la saison estivale. Il arrive même que certains et certaines ne respectent pas les prescriptions morales formulées par le clergé catholique et généralement admises par la société québécoise.

À Québec, le rédacteur du journal local attire l'attention de la police municipale sur le fait qu'à chaque année, au temps de la canicule, «une foule d'enfants et de jeunes gens» se baignent «sans scrupule dans le costume le plus primitif, ne se doutant probablement pas qu'ils deviennent ainsi une véritable nuisance publique[28]». Les jeunes gens de Montréal, Saint-Hyacinthe,

Trois-Rivières, Québec ne font pas autrement. Il arrive même que des dames soient «insultées» par ces baigneurs en costume d'Adam[29].

Pire encore! Vers cinq heures de l'après-midi, des personnes passant près de l'île Ronde s'étonnent de voir «un certain nombre d'hommes et femmes se baignant dans un état de nudité complète». La police municipale de Montréal intervient! Elle poursuit les nudistes en chaloupe. Un certain nombre parvient à semer les policiers. Après cette chasse en chaloupe, la police fait habiller les nudistes qu'elle a pu arrêter et les transporte «à la station centrale». Le lendemain, en Cour du Recorder, ils sont condamnés à cinq dollars d'amende et le journal *La Patrie* ne manque pas de publier les noms de ceux et celles qui se sont rendus coupables d'une aussi «honteuse promiscuité[30]». Une telle réprobation sociale n'est pas suffisante pour empêcher que cela ne se reproduise[31].

Bien que les occasions de prendre contact avec l'eau à des fins utilitaires, hygiéniques ou récréatives soient relativement nombreuses, les Canadiens français ne sont pas très familiers avec l'eau, du moins jusqu'au milieu du XIXe siècle. En 1836, un auteur qui signe B. de C. croit opportun d'expliquer aux lecteurs du journal *Le Canadien* de Québec qu'il n'y a pas de danger de se noyer si l'eau entre dans les oreilles, «comme elle le ferait par le nez et la bouche[32]. Les très nombreuses noyades témoignent à l'évidence de ce manque de familiarité des Canadiens français avec l'eau et du nombre très réduit de ceux et celles qui savent nager.

La presse de l'époque, alarmée par ces nombreuses noyades, multiplie les avis aux baigneurs, publie des conseils et des mises en garde contre les bains immédiatement après les repas, dans les rivières à fort courant, dans l'eau où il y a des plantes aquatiques, les bains trop prolongés[33]. Des instructions sont aussi publiées sur les manières de secourir les personnes qui se noient et le comportement qu'il faut adopter dans le cas de tels accidents. Finalement, on insiste sur l'importance et les bienfaits de la natation. À cette époque, les «théoriciens» croient que la natation est naturelle à l'homme «comme elle est naturelle au chien, au cheval, au chat». C'est la crainte ou la frayeur qui paralyse «la faculté de nager dont la nature a doué l'homme[34]».

SWIMMING MATCH.

Concours de natation
En natation, comme pour les autres sports, ce sont toujours des anglophones qui tracent la voie. Ce concours de natation a eu lieu à l'occasion du «pic-nic» de la Christ Protestant Benevolent Society's à l'île Sainte-Hélène en 1874, deux ans avant la fondation du Montreal Swimming Club.
«Montreal — The Christ Protestant Benevolent Society's Pic Nic at St. Helen's Island — Swimming Match».
Canadian Illustrated News, September 5, 1874, p. 153.

Ces informations n'ont pas d'influence sur le comportement des baigneurs et chaque année les journaux annoncent toujours de nombreuses noyades. Pour ce qui est d'apprendre à nager, il n'y a pas, à cette époque, d'endroit où la natation est enseignée.

En janvier 1850, *Le Canadien* de Québec annonce que messieurs Gosselin et LaRue projettent «d'ouvrir une école de natation dès le printemps prochain dans leur établissement» de bains[35], mais ce projet, «tout entier dans l'intérêt de l'hygiène publique», ne semble pas avoir été réalisé. Du moins, les journaux n'en parlent pas. Quelques années plus tard, en 1854, le gouvernement canadien achète le vieux manoir des Sewell sur la rue Saint-Louis pour en faire une école nautique. Ce projet n'eut pas de suite, le gouvernement ayant changé d'idée[36].

En 1856, attristé par les noyades de jeunes, P.J.O. Chauveau, alors surintendant de l'Instruction publique, recommande, dans son rapport annuel, que la natation soit enseignée aux collégiens. Selon lui, «la natation devrait toujours se pratiquer dans un étang de peu de profondeur et dont les bords seraient graduellement inclinés. De telles nappes d'eau pourraient presque toujours être formées dans le voisinage de nos collèges et assez généralement à peu de frais par les ruisseaux ou petites rivières qui abondent partout[37]».

Ce sont justement les nombreuses noyades qui incitent le lieutenant-colonel La Branche et A.-G. Lord, appuyés par un groupe «d'hommes désintéressés», à former le Club de natation de Montréal[38]. Ce club, formé dans «un but philantrophique», est la première institution québécoise vouée à l'enseignement de la natation et à l'organisation de compétitions. Les dirigeants veulent «fournir aux jeunes gens de Montréal la facilité d'apprendre à nager et leur donner le moyen de se rafraîchir après une journée de travail dans la saison des chaleurs[39]». Les buts sont donc de favoriser l'hygiène, l'amusement et la sécurité.

Les membres du Club, déjà au nombre de deux cents en 1876, font leurs «exercices de natation» à la pointe nord-est de l'Île Sainte-Hélène[40]. Il faut donc prendre le bateau pour s'y rendre.

De 1876 à 1882, seuls les hommes et les garçons ont accès au bain du club. C'est le gérant du bain, le lieutenant-colonel La Branche, qui fait accepter l'accès des femmes deux après-midi par

Le bain à l'île Sainte-Hélène
Ce dessin représente le bain à l'île Sainte-Hélène où le Montreal Swimming Club y donnait des cours de natation et organisait des compétitions de courtes distances.
«Courses à la nage à l'île Sainte-Hélène». *L'Opinion publique*, 1er septembre 1881, p. 416.

semaine[41] et non son successeur, Thomas Darling, comme le rédacteur de *La Presse* le prétend en 1894[42]. À cette date, les femmes ont accès au bain les lundi, mercredi et vendredi matin de chaque semaine durant la saison de bain qui commence au mois de juin et se termine à la fin septembre.

Pour être membre du Club, il en coûte un dollar pour les hommes et cinquante cents pour les enfants de moins de dix-huit ans. À partir de 1882, le bain est ouvert au public moyennant un prix d'entrée de vingt-cinq cents[43]. Aussi, les dirigeants font des pressions sur les membres du conseil municipal de Montréal pour que «le passage soit réduit à deux cents et qu'il y ait un bateau tous les quarts d'heures depuis 6 a.m. à 8 p.m.[44]». Plus tard, le Club obtiendra de «la compagnie du Richelieu que le bateau qui quittait le quai pour l'Île Sainte-Hélène à 6 heures soit retardé jusqu'à 6 heures 20 de façon à permettre aux membres du club qui finissent leur travail à 6 heures de se rendre au bain[45]».

Entre 1876, année de sa fondation, et 1900, le Club se préoccupe surtout de la baignade et de l'enseignement de la natation. En 1883, soit après huit ans d'existence, les dirigeants estiment que plus de trois mille personnes auraient appris à nager des professeurs du club[46], ce qui fait une moyenne de trois cent soixante-quinze personnes par année. Durant toute cette période, des courses de natation ne sont organisées qu'une seule fois durant la saison. Ce n'est qu'en 1900 que le Club décide d'organiser des courses tous les samedis après-midi afin de populariser la natation. Une invitation spéciale est faite aux bicyclistes qui ont le droit de circuler sur l'île Sainte-Hélène, même si le surintendant de l'île n'aime pas cela[47].

Ce club est un modèle d'organisation si on le compare aux nombreux clubs sportifs qui se forment dans la deuxième moitié du XIXe siècle. Depuis sa date de fondation en 1876 jusqu'en 1900, le nombre de ses membres augmente (200 en 1876, 300 en 1880, 667 en 1882, 915 en 1884, 1 232 en 1888, le même nombre vers 1900). Durant toute cette période, les finances du club sont saines. Il arrive même que le trésorier déclare un léger surplus. Cette situation financière favorable est due au gérant du bain, le lieutenant-colonel La Branche, qui refuse, durant plusieurs années, le salaire que veut lui verser le conseil d'administration du

Course de natation
Départ d'une course de natation lors des régates du Grand-Tronc vis-à-vis l'île des Sœurs. Si la tenue vestimentaire des juges nous indique l'origine sociale de ces «messieurs», l'allure des nageurs trahit leur manque d'expérience.
«Swimming match». *Canadian Illustrated News,* August 31, 1878, p. 132.

Club. La Branche est certainement l'un des facteurs déterminants de la stabilité et de la réussite de ce club. En 1900, lorsque le Club fête le 25e anniversaire de sa fondation, il est en pleine prospérité et son organisation est bien planifiée, comme en témoigne le programme annuel de ses activités[48].

Même si les Canadiens français vont se baigner à l'île Sainte-Hélène, que certains font même partie des principaux dirigeants du Montreal Swimming Club, ceux qui participent aux compétitions de nage organisées par ce club sont en nombre réduit. En effet, sur cent quatre-vingt-seize nageurs qui prennent part à différentes courses entre 1882 et 1901, seulement vingt-cinq Canadiens français y figurent, soit environ douze pour cent[49].

Alors que les anglophones préfèrent les courses de vitesse sur de courtes distances, les Canadiens français, préfèrent quant à eux les courses d'endurance qui sont alors perçues comme des exploits. La performance du capitaine Webb qui, en 1875, traverse La Manche, suscite toujours à la fin du siècle l'admiration des amateurs. La mode est aux courses de longue distance. Vers 1880, un nommé William, un nageur maltais, est considéré comme le meilleur nageur de Montréal[50]. Aucun adversaire ne lui tient tête. À la fin du siècle, quelques Canadiens français se signalent dans ces compétitions d'endurance. Hector Demers, O. Moreau et Raoul Dubreuil sont alors les meilleurs nageurs. Dubreuil est même considéré comme «le champion nageur Canadien pour longue distance[51]».

UN FAMEUX NAGEUR

Une course de sept milles et demi

Le jeune Hector Demers, qui s'est déjà distingué par ses exploits comme nageur, a fait un pas de plus vers la renommée, la semaine dernière, en faisant tirer la langue à son concurrent, un nommé John Leclair, qui avait entrepris de le battre, dans une course pour le championnat de longue distance, entre Laprairie et Montréal.

Demers avait convié tous les nageurs à lui faire la lutte. Un nommé Savard s'était annoncé comme devant être son adversaire, mais à l'heure de la course, il n'avait pas fait son apparition: ce fut alors que Leclair se présenta.

Il était 3 h. 36 lorsque le signal fut donné. Une foule considérable encombrait le quai de Laprairie. Au début Demers prit le large. Leclair suivant d'assez près la rive, où le courant était moins fort, prit bientôt une avance assez considérable. Cependant un peu plus tard, il lui fallut à son tour s'éloigner du rivage, ce qui permit à Demers de regagner une partie du chemin perdu. Pendant les quelque deux milles qui suivirent, ce fut une lutte excitante, tantôt l'un, tantôt l'autre étant en avant, lorsque après avoir nagé environ 1 heure et 19 minutes, Leclair se déclara pris de crampes et se fit ramasser par sa chaloupe. Demers continua à nager pendant une dizaine de minutes alors que ne voyant pas l'utilité de se surmener, et ayant suffisamment démontré son infinie supériorité sur son adversaire, il sauta lui aussi dans sa chaloupe. Il n'était plus qu'à environ un demi-mille du pont Victoria, c'est-à-dire qu'il a battu de beaucoup son record d'il y a trois semaines.

«Un fameux nageur. Une course de 7 1/2 milles». *Le Soleil,* 13 septembre 1900, p. 3.

NOTES

1. CHEVALIER, Jean et Alain GHEERBRANT. *Dictionnaire des symboles.* Paris, Laffont, 1982, p. 374.

2. PIKE, E. Royston. *Dictionnaire des religions.* Paris, P.U.F., 1954, p. 315.

3. PLATON. *Les lois.* III, 689.

4. MARROU, Henri-Irénée. *Histoire de l'éducation dans l'antiquité.* Paris, Seuil, 1958 (4e éd.), p. 168.

5. En plus des «jeux» olympiques, les Grecs tiennent aussi les «jeux» pythiens, néméens et isthmiques. COLIN, Faustin. *Pindare.* Strasbourg, G. Silbermann, 1841, 331 p.

6. HACQUARD, Georges. *Guide romain antique.* Paris, Hachette, 1952, au mot: thermes.

7. PAOLI, Ugo Emico. *Vita Romana.* France, Desclée de Brouwer, 1960, p. 365.

8. LEGOUGE, Fernand. *La natation, sport universel.* Paris, Vigot, 1946, p. 12.

9. RABELAIS, François. *Gargantua.* Paris, Colin, 1957, p. 104. Texte établi et présenté par Pierre Grimal.

10. LEGOUGE, Fernand. *Op. cit.* supra, note 8, p. 13.

11. NÉGRIER, Paul. *Les bains à travers les âges.* Paris, Librairie de la construction moderne, 1925, p. 166.

12. Ce sondage a été réalisé à partir du *Dictionnaire généalogique des familles canadiennes-françaises* de Mgr Cyprien TANGUAY et de l'ouvrage de Léopold BOUCHARD sur *les morts tragiques et violentes au Canada, 17e et 18e siècles.* Québec, 1983, 617 p.

13. LEMOINE, J. M. *Monographies et esquisses.* S.d. (c. 1886), p. 185. PARADIS, Alexandre. *Kamouraska (1674-1948).* Québec, 1948, p. 184.

14. BUIES, Arthur. *Chroniques canadiennes.* Montréal, Éditions Leméac, réédition 1978, p. 66.

15. «Bains chauds et froids». *La Gazette de Québec,* 25 octobre 1817, p. 2.

16. «Bains de Québec». *La Gazette de Québec,* 13 juillet 1820, p. 3.

17. «Bains de la Cité». *La Minerve,* 4 mai 1835, p. 3.

18. «Bains de la Cité». *La Minerve,* 12 mai 1836, p. 3.

19. «Bains de la Cité et de la Corporation». *La Minerve,* 23 avril 1846, p. 3.

20. Ces bains sont surtout accessibles aux hommes. La publicité ne s'adresse jamais aux femmes avant les années 1880. «Bains romains». *La Patrie,* 19 juin 1886, p. 3. «Bains Laurentides». *La Patrie,* 24 août 1893, p. 4.

21. «Bains de Montréal». *La Minerve,* 29 avril 1847, p. 2.

22. «Maison de Bains et de Blanchissage Publique». *La Minerve,* 23 février 1855, p. 2.

23. «Bains flottants». *La Minerve,* 25 juin 1849, p. 3.

24. «Les bains publics». *La Patrie,* 3 mars 1883, p. 3.

25. «Les bains publics». *La Presse,* 8 mai 1885, p. 3.

26. «Les bains publics». *La Minerve,* 20 août 1883, p. 1.

27. «Des bains publics». *La Patrie,* 25 avril 1903, p. 22.

28. (Tous les ans...). *Le Canadien,* 10 août 1863.

29. «Baigneurs». *La Minerve,* 8 juillet 1880, p. 1. «Baigneurs effrontés». *La Minerve,* 9 septembre 1884, p. 1.

30. «Honteuse promiscuité». *La Patrie,* 1er août 1889, p. 4.

31. «Baignades». *Le Courrier de Saint-Hyacinthe,* 10 juillet 1897. «Un peu plus de décence». *Le Soleil,* 10 juillet 1899, p. 6.

32. B. de C. «Natation». *Le Canadien,* 8 avril 1836, p. 1.

33. «Sur les bains de mer et la natation». *Le Canadien,* 4 septembre 1844, p. 1. «Conseils aux baigneurs». *La Minerve,* 16 juillet 1857, p. 3. «Avis aux baigneurs». *Le Canadien,* 27 juillet 1868, p. 2. «La natation, bains de rivière». *La Minerve,* 7 septembre 1867, p. 2.

34. FONTENELLE, M. Julia de. *Nouveau manuel complet des nageurs et de sauvetage, des baigneurs, des fabricants d'eaux minérales, et des pédicures.* Paris. À la librairie encyclopédique de Roret, 1838, p. 2.

35. «École de natation». *Le Canadien,* 22 janvier 1858, p. 4.

36. LEMOINE, J.-M. *Op. cit.* supra, note 13, p. 157.

37. CHAUVEAU, Pierre J.-O. *Rapport du Surintendant de l'éducation dans le Bas-Canada pour l'année 1856.* Toronto, John Levell, 1857, p. 28.

38. «Club des nageurs». *Le Canadien,* 15 août 1876, p. 2.

39. «Club de natation». *La Minerve,* 24 juin 1882.

40. «Natation». *Le Canadien,* 18 août 1876, p. 3.

41. «Club de natation». *La Minerve,* 12 juillet 1882.

42. «Ce que les Montréalaises savent faire». *La Presse,* 25 juillet 1894, p. 4.

43. «Club de natation». *La Minerve,* 24 juin 1882.

44. «Club de natation». *La Minerve,* 16 juillet 1884, p. 1.

45. «Le bain de l'île». *La Patrie,* 21 juin 1900, p. 2.

46. «Le club de natation». *La Minerve,* 11 août 1883, p. 1.

47. «Le bain de l'île». *La Patrie,* 4 juin 1900, p. 2.

48. «La natation». *La Patrie,* 12 juin 1900, p. 2.

49. Vérification faite à partir des résultats des courses publiés dans *La Patrie* et *La Presse* de Montréal.

50. «À la nage». *La Minerve,* 31 juillet 1880.

51. «La natation». *La Patrie,* 9 septembre 1901, p. 2.

10

Le patinage

Aux Pays-Bas, le patinage serait, croit-on, pratiqué depuis deux mille ans: des patins en os de mâchoire animale ont été retrouvés lors des dragages de la Mer du Nord, au large de Makkau[1]. Un peu plus près de nous, un tableau de Pierter Bruegel l'ancien (1525-1569) montre, à l'arrière plan, les divertissements des Hollandais du XVIe siècle: entre autres, on y voit jeunes et vieux qui patinent ou qui s'adonnent, à l'aide d'un bâton recourbé, à un jeu s'apparentant au *bandy* des Anglais, lequel aurait donné naissance au hockey canadien à la fin du XIXe siècle[2]. Mais à cette époque, le patinage est aussi pratiqué en France et en Angleterre. Dès 1642, des Écossais forment le Skating Club of Edimburgh[3] et la première course de vitesse est disputée en Angleterre le 4 février 1763: John Lamb patine les quinze milles en quarante-six minutes[4].

En Nouvelle-France, selon Robert-Lionel Séguin, la présence de patins est attestée à Montréal dès 1669[5]. Selon le père Charlevoix, qui séjourne à Québec en 1720, le patinage fait partie des amusements des Québécois[6]. En 1748, l'intendant François Bigot, à la suite de plaintes, émet une ordonnance qui fait «très-expresses inhibitions et défenses à toutes personnes et aux enfants de glisser dans les rues de cette ville (Québec), soit en traînes, en patins ou autrement[7]». Toutefois, si l'on en croit le silence des archives, il ne semble pas que le patinage ait connu une bien grande vogue sous le régime français, ni même avant la fin du XVIIIe siècle[8]. Du moins, il n'est pas encore un divertissement social comme ce sera le cas plus tard. Au début du XIXe siècle par contre, la pratique du patinage est devenue plus courante. La présence de patineurs nous est connue par les nouvelles que publient les journaux sur les accidents qui se produisent.

Le 23 décembre 1823, le fils de I. Dufresne, de Beloeil, âgé de 11 ans, se noie en patinant sur la rivière Richelieu[9]. En 1827, le

Patineurs noyés

NOYÉ, le 16 de décembre 1827, vis-à-vis les Trois-Rivières, un JEUNE HOMME, chevelure blonde, ayant sur lui capot et culottes d'étoffe du pays et qui doit avoir des patins aux pieds et une crémone de laine au col. Si le corps du susdescrit jeune homme étant trouvé, les parens prient de lui donner la sépulture appartenant à l'église catholique de Rome, et les dépenses seront payées en s'adressant à J.-Bte. Larivière, maître forgeron, Bécancourt.

«Noyé». *La Gazette de Québec,* 14 avril 1828, p. 2.

On nous informe que dimanche dernier plusieurs jeunes gens du bout de la paroisse de St. Eustache, se rendant à patins à la messe, sur la rivière du Chêne, deux d'entre eux passèrent sous la glace et se noyèrent. Leur corps fut retrouvé presque immédiatement et inhumé mardi. Leur nom est Spinard et Malboeuf, le premier âgé de 22 ans et l'autre de 17.

(On nous informe...). *La Minerve,* 1e décembre 1836, p. 2.

Accident. — Sur la rivière Maska, un jeune enfant de neuf ans, Joseph Mecier dit Jean François, s'est noyé en passant à travers la glace où il patinait avec de petits camarades. Le malheur est arrivé le premier du courant et l'on n'a pas encore retrouvé le corps de cet enfant. Voici le signalement par lequel on le reconnaîtrait dans le cas où des personnes de St. François, de St. Michel, St. Aimé et de St. Hyacinthe le trouveraient:

«Lorsqu'il s'est noyé, il avait une chemise de laine, un gilet de drap blanc, une paire de pantalons d'étoffe grise, une paire de bottes neuves de cuir rouge, une paire de patins attachés aux pieds. Les personnes qui retrouveront le corps de cet enfant sont priées de le recueillir, et d'en donner information à son père Louis Mécier dit Jean François, marguillier en charge de la paroisse de Saint-Césaire
ou au soussigné, leurs dépenses seront remboursées».

L. Turcotte, ptre.

Saint-Césaire, 17 déc. 1847.

«Accident». *La Minerve,* 23 décembre 1847, p. 2.

Samedi dernier, pendant qu'un enfant âgé de dix à onze ans s'amusait à patiner sur le ruisseau qui coule près de la distillerie de M. Dow, faubourg St.-Joseph, la glace venant à se briser sous ses pieds, il enfonça dans l'eau et se noya. Le corps a été retrouvé et transporté à la demeure de M. Élie Desève, père de l'enfant qu'un accident aussi déplorable vient de priver de la vie.

(Samedi dernier, ...). *La Minerve,* 21 janvier 1853, p. 2.

La première patinoire couverte au Québec
En 1856, des patineurs de Québec utilisent un hangar du quai de
la Reine pour en faire une patinoire couverte afin de pratiquer le
patinage à l'abri du mauvais temps et de la neige. Au début de l'hiver, le plancher du hangar est inondé d'un pied d'eau que le froid
convertit en une épaisse couche de glace.
Ballow's Pictorial Drawing Room Companion, January 12, 1856.

16 décembre, un jeune homme se noie en patinant sur le fleuve «vis-à-vis les Trois-Rivières[10]». Le dimanche 16 mars 1834, J.-B.-E. Durocher retire un jeune garçon de la rivière Richelieu, en face du village de Saint-Charles; il remontait la rivière depuis Saint-Denis et «le mauvais état de la glace» lui valut ce bain forcé[11]. Deux jeunes gens, de vingt-deux et dix-sept ans, trouvent la mort dans la rivière du Chêne alors qu'ils se rendaient à la messe en patins en compagnie de «plusieurs jeunes gens[12]». Les accidents de ce genre sont nombreux et témoignent à l'évidence que les patins sont utilisés pour se déplacer et s'amuser lorsque les conditions de la glace sur les rivières et les lacs le permettent. C'est un moyen rapide et facile de se déplacer mais qui s'avère dangereux, surtout pour ceux qui chaussent les patins trop tôt. En effet, les noyages de patineurs[13] surviennent au tout début de l'hiver, durant le mois de décembre, alors que les rivières et les lacs commencent à se couvrir d'une mince couche de glace.

Le patinage est alors une activité spontanée; ses retombées sociales sont donc très limitées, d'où le peu d'échos qu'on en trouve dans les journaux jusqu'au milieu du XIXe siècle, même si la pratique est déjà ancienne.

Si les patins sont utilisés pour des déplacements utilitaires, le patinage fait surtout partie des amusements traditionnels durant tout le XIXe siècle[14].

Lorsque le pont de glace se forme entre Québec et Lévis, celui-ci est envahi par les patineurs et patineuses des deux rives. À Montréal, dès que la glace du fleuve est «assez forte et parfaitement unie», un grand nombre de patineurs et patineuses en profitent «pour y prendre leurs ébats en tous sens[15]» et s'en donner à «pleine jambe et à plein poumon». Les journaux de l'époque disent «combien l'exercice de patiner est bon pour le développement de la force physique et de la santé[16]». Le grand air pur et les mouvements variés font que peu d'exercices «rapportent autant de bénéfices à la santé» que le patinage[17].

Jusqu'au milieu du siècle, les lieux de patinage sont les lacs, les rivières, le fleuve, les champs[18], et même les rues. Après cette date, des entrepreneurs et des clubs exploitent un «rink[19]», ou une «salle à patiner[20]», ou encore «un rond pour patiner[21]». Au début des années 1860, on cherche davantage le confort, même

Course de jeunes filles
Dès les années 1870, les dirigeants du Victoria Skating Rink de Montréal organisent des courses en patins, y compris des courses pour les jeunes filles. Peu de petites Canadiennes françaises y prennent part.
«Games at the Victoria Skating Rink». *Canadian Illustrated News,* March 23, 1872, p. 176.

dans les activités d'occupation du loisir. Si les travailleurs et les ruraux doivent se satisfaire du patinage sur les rivières, les lacs ou sur le fleuve, cela ne suffit plus aux membres des classes moyennes et encore moins aux bourgeois qui cherchent à se distinguer en fréquentant des lieux d'amusements «fashionables».

La première patinoire couverte, celle du Club House, est aménagée, en 1856, dans un hangar du quai de la Reine à Québec, mais son existence semble avoir été de courte durée[22]. La patinoire du Montreal Skating Club, construite en 1859, sur la rue Saint-Urbain, semble aussi avoir eu une existence éphémère[23]. Par contre, les projets de construction de patinoires couvertes à Montréal au début des années 1860, qui font l'objet de nouvelles dans la presse, indiquent bien l'intérêt que portent les bourgeois au confort et à la distinction dans leur temps libre. Par ailleurs, l'engouement pour le patinage suscite un intérêt commercial que des entrepreneurs ne manqueront pas de percevoir et d'exploiter.

En 1862, le Victoria Skating Rink est construit. C'est un édifice imposant et prestigieux dans le plus pur style victorien. La glace couvre une surface de deux cents pieds sur quatre-vingts et la promenade qui entoure la patinoire peut recevoir deux mille spectateurs debout[24]. L'année suivante, le Glaciarum de Guilbault, dont le propriétaire J.-É. Guilbault projette la construction depuis au moins 1861, est inauguré en présence d'une grande foule[25]. La salle des patineurs a trois cent quatre-vingts pieds de long sur soixante-dix de large; mille deux cents personnes peuvent y patiner en même temps. La salle peut contenir trois mille spectateurs dont deux mille confortablement assis[26].

Des patinoires couvertes, certes pas aussi spacieuses que le Victoria Skating Rink et le Glaciarum de Guilbault, sont aussi érigées à Québec en 1864 et à Saint-Hyacinthe en 1878. L'engouement pour le patinage est tel que ces «rinks ne suffisent pas à la foule[27]». Aussi, les ronds à patiner vont-ils se multiplier. Les abonnés aux patinoires se voyaient garantir musique, patinage aux flambeaux, feux d'artifice, fêtes de glace, bals costumés et mascarades. Les journaux publient régulièrement le programme musical prévu pour la soirée, ordinairement assuré par une «bande» militaire. Dans un rythme immuable se succèdent promenades, cotillons, marches militaires, quadrilles, valses, *reels*,

Concours au patin
Concours de patinage artistique qui a lieu au Victoria Skating Rink de Montréal en 1873, en présence du gouverneur général du Canada.
«Concours au patin». *L'Opinion publique*, 20 février 1873, p. 89.

Mascarade
à Saint-Hyacinthe

Mercredi soir, dès les sept heures, une foule avide de spectacle se pressait aux portes du patinoir Charpentier. La mascarade si vivement désirée du public allait avoir lieu. Annoncée depuis plusieurs jours, elle promettait d'être un véritable succès sous tous rapports. De fait c'est ce que nous avons eu de mieux depuis que Saint-Hyacinthe a le plaisir de posséder cette place d'amusement. M. Charpentier s'est prodigué et aujourd'hui il peut se flatter d'avoir procuré au public de cette ville une récréation des plus amusantes.

De leur côté, nombre d'abonnés s'étaient procuré de riches et brillants costumes afin de rehausser l'éclat de la fête.

Le patinoir était brillamment illuminé et la glace comme un miroir où se mirèrent les grâces.

Aussi, les couples nombreux présentaient un tableau splendide, avec leurs couleurs variées sous les reflets de vives lumières.

Il n'y a point de feu sans fumée: le feu de Bengale de mercredi soir, comme tout autre, n'en fut pas exempt, ce qui durant cinq minutes provoqua beaucoup d'éternuements. Cet incident, imprévu par le propriétaire, et qui ne lui est point imputable, a eu toutefois du bon. C'était donner d'agréables souvenirs aux grippés, et faire jouir les privilégiés qui ne l'ont pas eu, d'une des phases de cette maladie.

De plus ce fut une preuve éloquente que sans la grippe, nos jeunes filles à Saint-Hyacinthe possèdent toujours de *la toux* dans leur jeu... le jeu de leur organe musical.

Bref, la mascarade a été un succès et un grand succès.

Nous remercions M. Charpentier et lui souhaitons semblable encouragement pour la prochaine mascarade.

La Philharmonique a fait de la bonne musique et comme toujours est restée à la hauteur de sa position.

DÉGRIPPÉ

«Mascarade». *Le Courrier de Saint-Hyacinthe,* 15 février 1890.

avant les deux notes finales, nationaliste et loyaliste: *Vive la Canadiennne* et *God Save the Queen*.

Parmi les activités festives, la mascarade est certes la plus importante et la plus fréquente. Les propriétaires de patinoires organisent au moins une mascarade durant l'hiver; Lacasse, qui exploite une patinoire à Saint-Hyacinthe, en offre même jusqu'à trois par hiver[28] car il n'y a pas de récréation plus honnête et plus agréable en plus de chasser «la bile et les idées noires[29]». Sur soixante-huit mascarades dont les journaux font mention entre 1865 et 1900[30], vingt-sept ont lieu en janvier, vingt-cinq en février, douze en mars, deux en avril et deux en décembre. Ces mascarades se tiennent ordinairement le mardi — inévitablement une mascarade a lieu le soir du Mardi gras — et le jeudi soir. À Montréal, certaines mascarades réunissent jusqu'à mille cinq cents patineurs et patineuses costumés; elles attirent des milliers de spectateurs[31].

De ce nombre considérable de patineurs, certains excellent plus que d'autres et cherchent à faire valoir leur savoir-faire. De ce divertissement traditionnel, deux sports vont se développer: le patinage de vitesse et le patinage artistique ou fantaisiste, comme on l'appelle alors.

Les premières manifestations du patinage de vitesse portent sur des courses de longue distance. En 1860, un Canadien français nommé Lord fait une course, entre Montréal et Sorel, contre Dickson Sawtell[32]. Mais ces compétitions sont plutôt rares car elles sont directement dépendantes de la température qui ne rend pas toujours praticable la surface gelée du fleuve, des rivières et des lacs. Ces courses n'ont pas encore la forme sportive: elles relèvent plutôt du défi traditionnel qui consiste à exprimer sa supériorité sans égard à un équilibre des forces entre les adversaires ni à des règles fixes.

Il ne semble pas qu'il y ait eu de courses sportives en patins avant les années 1860; du moins la presse francophone n'en fait pas mention avant. En 1870, le championnat du Canada est encore déterminé à la suite de défis individuels. Lorsque les propriétaires du Mont Royal Skating Rink de Montréal annoncent la tenue du championnat du Canada, un nommé D. Marsan proteste et affirme être le «seul Champion du Canada» et met au défi tous ceux qui en doutent de venir le rencontrer pour un enjeu de cent cinquante piastres[33]. Des courses sont organisées tous les ans, entre quelques patineurs seulement, tant à Montréal qu'à Québec, par des propriétaires de patinoires ou des clubs de patineurs. Mais c'est un événement international qui attire l'attention de la presse en 1884, alors que le Norvégien Axel Paulsen vient ravir le championnat d'Amérique dans une course de dix milles disputée à Brooklyn, le 25 janvier, devant cinq mille spectateurs[34]. Il remporte la victoire sur neuf concurrents dont le champion américain G. Phillips de New York. Le jeune Elliott de Montréal, vainqueur de cette course en 1883, s'est classé deuxième, devant le champion américain[35].

À partir de 1880, des courses de longue distance ont lieu chaque année entre les meilleurs patineurs du Canada. Le 20 janvier 1885, au Crystal Rink de Montréal, W. J. Drysdale gagne la course de cinq milles contre six concurrents dont deux Canadiens français, E. Votier et F. Cadotte. Drysdale franchit les cinq milles en 20 m. 23 s., devant Frank Dowd, l'un des bons patineurs montréalais de l'époque[36]. Deux ans plus tard, ce Frank Dowd fait une tournée dans les provinces maritimes. Malheur, car il perd cinq courses en un mois. «L'étoile du champion de Montréal pâlit[37]» puis s'éteint. En 1890, «la course de dix milles pour le titre de champion des amateurs du Canada» se tient encore à Montréal au Dominion Rink. Gordon remporte le championnat avec un temps de 39 m. 43 s., suivi de Levasseur, Wills et Bellefleur[38].

L'année 1892 coïncide avec «le commencement d'une ère nouvelle» pour le patinage de vitesse. Invité par la Canadian Amateur Skating Association, dont le siège social est à Montréal, le patineur américain Joe Donoghue, «alors dans toute sa gloire», ouvre «les yeux à beaucoup de monde» sur les possibilités de la course en patins: aucun patineur Montréalais ne lui va «à la cheville». Le choc est pénible, mais stimulant, si bien qu'en 1897, Montréal est «le théâtre de la plus importante réunion de patineurs du monde entier[39]». Les champions des États-Unis, du Canada, du Danemark, de la Norvège et de la Suisse viennent se mesurer à Montréal pour le titre de champion du monde. C'est le Canadien J. K. McCulloch, de Winnipeg, qui gagne la majorité des courses ouvertes aux amateurs, établissant même de nouvelles marques

Le championnat des patineurs du Canada
À la fin du XIXᵉ siècle, les courses en patins sont très populaires,
notamment à Montréal où se tiennent les championnats du
Canada. Parmi les meilleurs, on constate la présence de quatre
Canadiens français: A. Brière, W. Thibault, P. Fafard et Z.-P. Ste-
Marie.
La Patrie, 5 février 1900, p. 2.

pour les courses de mille (2 m. 13 s.), mille cinq cents (2 m. 41 1/2 s.) et cinq mille mètres (12 m. 00 1/2 s.)[40].

Mais ces courses entre champions du monde ne doivent pas faire illusion sur la stabilité de l'organisation des courses en patins. En effet, l'année suivante, il n'y a pas de course de championnat, faute de pouvoir réunir les patineurs. Par ailleurs, les patineurs québécois ont eu l'occasion de participer à des compétitions qui leur permettaient d'acquérir de l'expérience, d'améliorer leur technique et, partant, leur performance. Ce n'est qu'en 1899, à l'instigation de son secrétaire, Louis Rubenstein, que la Canadian Skating Association décide de tenir annuellement des championnats canadiens[41].

En 1900, les courses en patins pour le championnat du Canada sont considérées par la presse sportive comme le principal événement de la saison, après les parties de hockey pour la possession de la coupe Stanley[42]. Si ce sont les courses entre les champions du monde Nillson et Baptie, deux patineurs professionnels, qui soulèvent l'intérêt de la presse et des amateurs, nombreux sont les patineurs locaux à participer aux neuf courses du programme: deux cent vingt verges à reculons, huit cent quatre-vingts verges, un mille, trois milles, deux cent vingt verges avec obstacles, cinq milles, un demi-mille pour garçons de douze ans et moins, un mille pour garçons de quinze ans et moins[43]. Au total, cinquante patineurs prennent part à ce grand tournoi canadien, dont quarante-trois Montréalais parmi lesquels figurent onze Canadiens français, soit vingt-deux pour cent des concurrents. Les sept autres patineurs viennent d'Ottawa, Toronto, Winnipeg et New York. Chez les Canadiens français, signalons la victoire de W. Thibault dans la course d'un demi-mille à reculons avec un temps d'une minute, trente-trois secondes. Ce Thibault, du club Le Montagnard, s'est aussi classé troisième dans la course du mille, derrière J. Drury du Montreal Amateur Athletic Association qui s'est classé premier pour avoir franchi la distance en trois minutes[44]. Drury est l'un des meilleurs patineurs canadiens à cette époque.

La venue à Montréal vers 1900, des patineurs professionnels tels que John Nillson, champion du monde, et Dowal Baptie, son plus redoutable adversaire, stimule l'organisation et la structuration des courses en patins qui deviennent plus fréquentes et auxquelles participent un plus grand nombre de patineurs. Le programme de courses du 10 février 1900 du Montreal Tobaggan, Skating and Snowshoe Club réunit cinquante-deux patineurs dont onze Canadiens français (21%)[45]. Par contre, il arrive que les Canadiens français soient majoritaires lors de programmes de courses en patins. Les courses organisées par le propriétaire de la patinoire Prince Arthur de Montréal réunissent trente-six patineurs dont vingt-six, soit 63%, sont des Canadiens français[46]. Toutefois, ces courses n'étaient pas sanctionnées par la Canadian Amateur Skating Association et il est fort possible que les patineurs anglophones s'en soient désintéressés.

À la fin du XIXe siècle, Montréal est la capitale du patinage de vitesse au Canada. Le siège social de la Canadian Amateur Skating Association se trouve à Montréal; c'est dans cette ville que se disputent les championnats du Canada et les champions patineurs du monde, c'est-à-dire de l'Occident, viennent s'y mesurer «car nul (sic) part ailleurs» il n'existe «une aussi belle piste et un public aussi impartial», selon le champion Nillson[47]. Les organismes qui régissent ce sport et qui favorisent sa promotion ont toutes les raisons d'être confiants dans l'avenir du patinage de vitesse.

Les promoteurs du patinage artistique ne sont pas aussi heureux car la fin du XIXe siècle est une période difficile pour ce sport qui manque de grandes vedettes pour en faire la promotion et le faire évoluer comme ce fut le cas entre 1860 et 1890.

En effet, vingt ans avant la venue d'un champion patineur de vitesse au Québec, le plus grand patineur «fantaisiste» de cette époque, l'Américain Jackson Haines, est engagé par le promoteur J.-É. Guilbault de Montréal pour donner des spectacles de patinage au Glaciarum. Haines réalise pour les Montréalais «ses étonnantes évolutions» et ses «tours de force» extraordinaires. La performance de Haines est si exceptionnelle pour l'époque qu'il faut le voir pour le croire. Jean Dauven affirme que Georges-Bernard Depping, célèbre érudit français d'origine allemande, niait la possibilité des prouesses de Haines «car chaque changement de direction des courbes décrites nécessitait forcément un nouveau coup de patin pour l'impulsion[48]». On peut douter de cette affirmation car ce n'est qu'en 1864 que Haines fait des démonstrations en Europe. À cette date, Depping est mort depuis neuf ans. Si Depping a tenu ces propos, ce n'est certes pas au sujet des prouesses de Jackson Haines[49].

Jackson Haines est avant tout un danseur de ballet; pour lui, le patinage se ramène à de la danse sur glace. Aussi il n'accepte pas, et n'acceptera jamais, de se conformer à des figures classiques imposées[50]. Haines fait de la danse et non du sport.

La visite de Haines à Montréal, puis à Québec, en 1864, provoque l'admiration des patineurs et patineuses qui tentent d'imiter le «danseur sur glace» comme le présentent les affiches. Les journaux notent, à la suite des spectacles de Haines, que les patineurs et patineuses exhibent leur «savoir-faire» et sillonnent «la glace avec une habileté et une élégance admirables[51]».

En 1867, à l'occasion d'un «grand bal costumé», c'est-à-dire une mascarade, au rond National, où est réunie l'élite de la ville, des «dames se sont fait admirer par l'élégance et la grâce de leur danse». Les «patineurs émérites» G. Landry et H. Jones ont «très bien exécuté le pas de deux, mais c'est le jeune George Châteauvert qui étonne le public» par ses évolutions et ses pas hardis[52]. Le rédacteur du *Canadien* se fait «l'écho du public en disant qu'il est le champion du patin dans la ville de Québec». Il n'est cependant pas le seul à être un habile patineur. Alfred Hamel, qui séjourne à Anvers, en Belgique, pour étudier la peinture, étonne «une foule considérable» d'Anversois par «ses tours d'agilité et de hardiesse». C'est «un des plus forts patineurs de Québec», affirme *Le Canadien*[53].

Vers la même date, le champion de la ville de Montréal est un un dénommé Lord; il donne des démonstrations de son talent sur les différentes patinoires de Montréal et Québec. On le dit «admirable dans ses balancements, ses sauts hardis et gracieux et ses figures nombreuses et compliquées[54]». Il est «regardé comme un des plus forts patineurs qui soient jamais venus à Québec», selon *Le Canadien*[55]. Plus fort que Jackson Haines qui, en 1864, a émerveillé les Québécois? Non, certainement pas; le rédacteur du *Canadien* exagère ou alors, sa mémoire l'a abandonné.

Aucun concours n'est organisé entre les quelques bons patineurs pour connaître qui est véritablement le meilleur, le champion du Québec et du Canada. Ce sont les journaux qui font de Châteauvert et de Lord les champions de leur ville respective, Québec et Montréal. À cette date, il n'existe aucun organisme, dans le monde, pour codifier les figures et transformer le patinage artistique, c'est-à-dire la danse sur glace, en sport. C'est ce qui explique que les patineurs artistiques s'en tiennent à des spectacles, à des démonstrations.

La figure québécoise la plus marquante du patinage artistique au XIXe siècle en Amérique du Nord est sans aucun doute le Montréalais Louis Rubenstein. Dans les années 1870, il se rend en Europe pour suivre des leçons de nul autre que le grand Jackson Haines[56]. De retour à Montréal, il devient membre du Victoria Skating Club et sera la vedette de ce club à partir de 1878[57] alors qu'il remporte le titre de champion du Canada, titre qu'il conserve jusqu'en 1889. En 1885, il est aussi le «champion des patineurs de l'Amérique[58]». Il remporte ce championnat une seconde fois en 1889[59]. C'est en 1890 que Louis Rubenstein atteint son zénith. Envoyé à Saint-Petersbourg (maintenant Leningrad), en Russie, par la Canadian Amateur Skating Association, pour participer à un concours international de patinage, Rubenstein remporte le premier prix, c'est-à-dire qu'il est «le premier patineur du monde car il a dû lutter contre les représentants de toutes les principales villes d'Europe[60]».

Cependant Rubenstein connaît alors une pénible expérience. La Russie du tsar Alexandre III est antisémite; le juif Rubenstein n'est pas le bienvenu en Russie et n'eût été de l'intervention de l'ambassadeur d'Angleterre, il aurait été emprisonné ou déporté[61].

Après l'exceptionnel performance de Louis Rubenstein, le patinage «fantaisiste» perd de la vogue. Aucun autre patineur québécois, ni canadien, de la fin du siècle ne réalisera des performances comparables à celles de Rubenstein. Après avoir connu l'excellence, les amateurs de patinage artistique et la presse accordent peu d'intérêt aux patineurs qui ne sont pas champions du monde. Même le grand Rubenstein, secrétaire de la Canadian Amateur Skating Asssociation, se préoccupe davantage des courses en patins[62]. À défaut de patineurs québécois de calibre

international, les spectacles de patineurs et patineuses professionnels remplacent les concours de patinage artistique. En 1900,
Nillson, le champion patineur de vitesse, et mademoiselle
Cummings, donnent à l'Aréna de Montréal «une exhibition de
patinage fantaisiste» entre les périodes d'une joute de hockey[63].

La grande idée qui anime le XIXe siècle, l'esprit du siècle,
c'est l'idée du progrès. La vitesse est devenue une obsession. Le
sport, produit de cette quête du progrès, est le lieu où s'exprime le
perfectionnement illimité de l'homme. Il n'est donc pas étonnant
que les courses de patins dominent le patinage artistique à la fin
du siècle.

Assemblée annuelle de la Canadian Skating Association

L' assemblée annuelle de la Canadian Skating Association a eu lieu, hier soir, au Gymnase, rue Mansfield.

Les rapports annuels du secrétaire trésorier sont des plus satisfaisants. On se rappelle d'ailleurs le gros succès des courses de l'hiver dernier auxquels les plus forts patineurs américains et canadiens prirent part.

Il a été décidé que des tournois pour le championnat du Canada seraient tenus dorénavant annuellement.

Les élections des officiers pour le prochain terme ont donné le résultat suivant:

Président honoraire: Lieut.-Col. Fred O. Hanshaw.

Président: M. W. G. Ross.

1er vice-président: M. Major Freeman.

2e vice-président: M. James A. Taylor.

Hon. secrétaire-trésorier: M. Louis Rubenstein.

Comité exécutif: MM. H. Montague Allan, Edgar McDougall, Thos L. Paton, W. O. H. Dodds, David J. Watson, Fred. W. Barlow, W. G. Robertson.

Voici le texte du rapport de M. Rubenstein.

Monsieur le Président.

Messieurs,

J'ai l'honneur de vous présenter le rapport annuel de notre association.

Après un intervalle d'une année, votre comité résolut de donner en février dernier des tournois pour le championnat. La piste de la M.A.A.A. fut louée et l'affaire eut un gros succès. Le programme contenait des courses pour les professionnels et les amateurs, et comme la température était superbe, une foule nombreuse y assista.

Parmi les professionnels, les honneurs furent remportés par J. Nilson, de Minneapolis, qui a prouvé conclusivement qu'il était le roi des patineurs rapides.

Chez les amateurs, quatre des événements furent remportés par James Drury de la M.A.A.A. et nous sommes fiers de pouvoir féliciter cette association de posséder parmi ses patineurs, un des plus forts amateurs.

Votre comité recommande de donner dorénavant ces tournois annuellement, car l'assistance aux derniers a prouvé que le public ne ménageait pas son support, et que l'intérêt dans le beau sport du patin, au Canada, était de plus en plus grand.

Nous regrettons d'avoir à parler de la mort de M. J. E. Shultz, de Montréal. Bien que n'étant pas un membre actif de notre association, M. Shultz nous avait rendu maints services en agissant gratuitement comme traducteur et correspondant étranger.

Le rapport du trésorier démontre que nos finances sont dans un état florissant.

Votre comité, en terminant, désire témoigner de son appréciation des services rendus par tous ceux qui ont occupé des charges durant les tournois, et qui ont si puissamment contribué à leur succès.

Le tout respectueusement soumis,
LOUIS RUBENSTEIN,
Secrétaire

Les tournois auront lieu durant la première semaine de février.

L'hiver dernier, les coureurs canadiens-français firent assez bonne figure dans les tournois, et nous croyons même que si nos coureurs avaient été plus habitués à la grande piste de la M.A.A.A., ils auraient décroché leur bonne part des magnifiques prix.

Nous conseillons donc à ceux de nos patineurs qui ont des aptitudes pour les courses, de s'entraîner autant et aussi longtemps d'avance que possible, au grand rond d'un quart de mille de la M.A.A.A., et nous sommes convaincus qu'une fois qu'ils seront familiers avec cette piste, ils seront en mesure de lutter avec avantage contre leurs concurrents.

«Les champions viendront ici cet hiver». *La Patrie*, 16 novembre 1899, p. 2.

NOTES

1. DAUVEN, Jean. *Encyclopédie des sports.* Paris, Larousse, 1961, p. 348.

2. GROTE, Andreas. *Bruegel.* Milan, Fabbré, 1969. Tableau intitulé: Les chasseurs dans la neige (1563).

3. MacCRAKEN, Henry M. *The University Encyclopedia.* New York, The Cooperative publication society, 1902, article: Skating, p. 5714.

4. LANG, Serge. *Le ski et autres sports d'hiver.* France, Larousse, 1967, p. 381.

5. SÉGUIN, Robert-Lionel. *Les jouets anciens du Québec.* Montréal, Leméac, 1969, p. 99. Une anecdote raconte que des Français auraient patiné sur le fleuve en présence du premier gouverneur de la Nouvelle-France, Charles Huault de Montmagny, de 1636 à 1648. Aucune preuve n'a été avancée, ni trouvée pour appuyer la véracité de cette anecdote. MALCHELOSSE, Gérard. «À propos de froid». *Le Pays Laurentien.* 1ère année, n°4 (avril 1916), p. 147.

6. Cité par ROY, Pierre-Georges. *Toutes petites choses du régime français.* 2e série, Québec, Garneau, 1944, p. 36.

7. *Arrêts et règlements du Conseil supérieur de Québec et ordonnances et jugements des intendants du Canada.* Québec, de la presse à vapeur de E.-R. Fréchette, 1855, p. 398.

8. MASSICOTTE, E.-Z. «Le patinage». *Le bulletin des Recherches historiques.* Vol. XLIV, n°3 (mars) 1938, p. 81.

9. «Accidents malheureux». *Le Canadien,* 15 janvier 1823, p. 2.

10. «Noyé». *La Gazette de Québec.* 14 avril 1828, p. 2.

11. (Dimanche, le 16...). *La Minerve,* 27 mars 1834, p. 3.

12. (On nous informe...). *La Minerve,* 1er décembre 1836, p. 2.

13. Aucune noyade de patineuses n'a été notée pour la période 1800-1860.

14. «Le Lac Beauport». *Le Canadien,* 21 novembre 1881, p. 3. Nouvelles de Saint-Hyacinthe». *Le Canadien,* 25 novembre 1881, p. 3.

15. (Hier, devant notre ville...). *La Minerve,* 7 janvier 1865, p. 2.

16. «Salle de patineurs». *La Minerve,* 24 octobre 1861.

17. «Patinage». *La Minerve,* 3 février 1865, p. 2.

18. Les enfants patinent sur la moindre surface glacée qui se forme dans les champs. L'hiver 1982-1983 a été très propice au patinage dans les champs. J'ai vu de nombreux jeunes patiner et jouer au hockey sur de toutes petites surfaces gelées dans Lotbinière et Montmagny.

19. (L'Exhibition Provinciale...). *La Minerve,* 7 juillet 1863, p. 2. L'exposition horticole a lieu au Victoria Skating Rink.

20. «Salle de patineurs». *La Minerve,* 24 octobre 1861.

21. «Victoria Skating Rink». *Le Canadien,* 20 février 1865. Vers 1880, c'est l'expression «patinoir» au masculin qui prévaut. «Patinoir». *Le Courrier de Saint-Hyacinthe.* 31 janvier 1885. Le mot devient féminin vers 1910. La Société du parler français au Canada retient le genre féminin en 1915. «Vocabulaire français-anglais du jeu de gouret (hockey)». *Le Parler Français.* Vol. XIV, n° 3 (novembre) 1915, p. 149.

22. VOLPI, Charles P. de. *Québec, recueil iconographique.* Canada, 1971, p. 137.

23. HOWELL and HOWELL. *Sports and games in Canadian life.* Toronto, MacMillan, 1969, p. 23.

24. WISE, S. F. et Douglas FISHER. *Canada's Sporting Herves.* Ontario, General Publishing Company, 1974, p. 16.

25. «Salle de patineurs». *La Minerve,* 24 octobre 1861. (Nous apprenons...). *La Minerve,* 12 décembre 1863, p. 2. J.-É. Guilbault est un entrepreneur très dynamique. Dès 1836, il exploite un jardin botanique où il présente de nombreux spectacles.

26. «Nouvelles du Canada». *La Minerve,* 24 mars 1864, p. 1.

27. «Patinage». *La Minerve,* 3 février 1865, p. 2. En 1866, une vingtaine de patinoires sont aménagées sur le fleuve en face de la ville de Montréal. «Le patinage». *La Minerve,* 13 janvier 1866.

28. «Mascarade». *Le Courrier de Saint-Hyacinthe,* 18 février 1886.

29. «La dernière mascarade». *Le Courrier de Saint-Hyacinthe,* 12 février 1885.

30. Cette vérification a été faite dans *Le Canadien* de Québec, *La Minerve* et *La Patrie* de Montréal et *Le Courrier de Saint-Hyacinthe.* L'inventaire n'est évidemment pas exhaustif.

31. «La mascarade de l'Empire britannique». *La Patrie,* 8 février 1900, p. 2.

32. «Faits divers». *La Minerve,* 10 mars 1860, p. 2.

33. MARSAN, D. «Défi! Défi! Défi!» *La Minerve,* 1er octobre 1870, p. 3.

34. «Champion des patineurs». *Le Canadien,* 26 janvier 1884, p. 3.

35. «Le titre de champion de l'Amérique». *La Patrie,* 26 janvier 1884, p. 3.

36. «Course de cinq milles». *La Presse,* 21 janvier 1885, p. 3.

37. «Le Patin». *La Presse,* 30 mars 1887, p. 1.

38. «Le Patin». *La Presse,* 22 mars 1890, p. 2.

39. MARIER, Jos. «Les championnats du patin». *La Patrie,* 27 janvier 1900, p. 5.

40. MacCRAKEN, Henry M. *Op. cit.* supra, note 3, p. 5715.

41. «Les champions viendront ici cet hiver». *La Patrie,* 16 novembre 1899, p. 2.

42. MARIER, Jos. «Les championnats du patin». *La Patrie*, 27 janvier 1900, p. 5.

43. «La liste des entrées». *La Patrie*, 1er février 1900, p. 2. Même si, en 1892, la Fédération internationale de patinage a décidé de ne reconnaître que des distances en mesure métrique (500, 1 500, 5 000 et 10 000 M), les organisateurs américains et canadiens conservent les distances en mesures anglaises. LANG, Serge. *Op. cit.* supra, note 4, p. 382.

44. «Le champion Nillson». *La Patrie*, 5 février 1900, p. 2. Le 4 janvier 1821, l'Anglais John Gittam fait sensation en patinant le mille en moins de trois minutes. LANG, Serge. *Op. cit.* supra, note 4, p. 382.

45. «À la M.A.A.A.». *La Patrie*, 9 février 1900, p. 2.

46. «Les courses de ce soir». *La Patrie*, 1er mars 1900, p. 2.

47. «Les championnats». *La Patrie*, 27 janvier 1900, p. 2. La Canadian Amateur Skating Association a été formée en novembre 1887 lors d'une réunion tenue au Victoria Skating Rink de Montréal. «Organization of a Canadian Amateur Skating Association». *The Toronto Daily Mail*, November 2, 1887, p. 2.

48. DAUVEN, Jean. *Op. cit.* supra, note 1, p. 341.

49. HOEFFER, Dr. *Nouvelle biographie générale depuis les temps les plus reculés jusqu'à nos jours*. Paris, Didot, 1857, tome treizième.

50. DU BIEF, Raymonde. *Le patinage*. Paris, Vigot, 1948, p. 219.

51. «Les Patineurs». *Le Canadien*, 4 janvier 1867.

52. «Grand bal costumé au rond National». *Le Canadien*, 1er mars 1867.

53. «Un patineur canadien à Anvers». *Le Canadien*, 5 février 1868, p. 2.

54. «Le Champion Patineur de Montréal». *Le Canadien*, 29 janvier 1869, p. 3.

55. «Rond à patiner du Globe». *Le Canadien*, 29 janvier 1872, p. 2.

56. Jackson Haines est mort en 1875 et Rubenstein est né en 1861; il était donc alors très jeune, tout au plus quatorze ans. Ses biographes ne mentionnent pas cette précocité et ne donnent pas les circonstances de la présence de Rubenstein en Europe. WISE, S. F. et Douglas FISHER. *Op. cit.* supra, note 24, p. 213.

57. HOWELL and HOWELL. *Op. cit.* supra, note 23, p. 106.

58. «Le patin». *La Presse*, 19 février 1885, p. 3.

59. WISE, S. F. et Douglas FISHER. *Op. cit.* supra, note 24.

60. «Un patineur canadien». *Le Courrier de Saint-Hyacinthe*, 15 février 1890.

61. WISE S. F. et Douglas FISHER. *Op. cit.* supra, note 24.

62. «Le patin». *La Patrie*, 16 novembre 1899, p. 2.

63. «Le champion Nillson». *La Patrie*, 8 février 1900, p. 3.

11

La raquette

Avec la crosse et le canot, la raquette est très certainement l'un des exemples les plus visibles d'emprunt qui ait été fait par les Européens à la culture des autochtones du Nord de l'Amérique. Elle constitue à l'époque des pionniers un moyen de locomotion particulièrement efficace, bien adapté à la topographie et au climat de l'est canadien qui est couvert d'une épaisse couche de neige durant près de six mois de l'année. Les cours d'eau, qui sont les seules routes possibles durant l'été et sur lesquels tous, «Sauvages», Français et Canadiens, naviguent sur des centaines de lieues avec le canot d'écorce, sont couverts de glace et de neige qui paralysent ainsi les communications par voie d'eau durant les mois d'hiver.

Pour répondre à ces conditions particulières de l'environnement, les autochtones possèdent des raquettes qu'ils s'attachent aux pieds et qui leur permettent de marcher facilement sur la neige épaisse. Sans ces raquettes, ils seraient immobilisés durant tout l'hiver et périraient rapidement car la chasse, qui est à la base de leur économie en cette saison, leur serait rendue impossible[1].

Les Français sont contraints d'utiliser ces raquettes[2] s'ils veulent se déplacer en hiver. L'apprentissage de la marche en raquettes ne se réalise pas sans quelque difficulté pour les Français, habitués qu'ils sont à marcher les fesses serrées. Le père Paul LeJeune nous a laissé ses impressions désagréables de sa première expérience de la marche en raquettes:

«Le 3 de décembre nous commençasmes à changer de chaussure, et nous servir de raquettes: quand je viens à mettre ces grands patins tout plats à mes pieds, je m'imaginois qu'à tous coups je donnerois du nez dans la neige[3]...»

Un siècle plus tard, Lebeau, qui séjourne de force dans la colonie, nous décrit lui aussi sa première expérience en raquettes; ses impressions sont sensiblement les mêmes que celles du père LeJeune:

Courses en raquettes

L undi, comme il avait été annoncé, les courses en raquettes ont eu lieu à la rivière Saint-Pierre près Montréal. Elles ont été favorisées par un beau temps, et une foule de spectateurs et de spectatrices étaient accourus pour assister à ces courses d'un genre nouveau.

La première course, de quatre milles, pour une belle coupe d'argent, avec une piastre d'entrée, a été gagnée par M. Derocher qui a fourni la carrière en 38 minutes. M. W. H. Boyd est arrivé le second. Il y avait sept coureurs.

La seconde course, d'un mille, avec six barrières à franchir, aussi pour une coupe d'argent et une piastre d'entrée, a été gagnée par M. E. Lamontagne contre M. Abbot. Plusieurs autres coureurs étaient inscrits, mais n'ont pas couru.

Ensuite une bourse a été formée sur-le-champ pour une course d'enfants au-dessous de 16 ans. Elle a été très bien contestée par douze jeunes coureurs, et remportée par Rogers, suivi de près par Abbott. Le vainqueur n'a que quatorze ans et demi.

«Courses en raquettes». *Le Canadien*, 14 février 1845, p. 3.

«Pour moi lorsque j'ai commencé à vouloir me servir de ces sortes de Raquettes, il m'est arrivé de tomber très souvent le nez dans la neige; soit que je n'écartasse pas assez les jambes pour avancer chemin; soit qu'étant fatigué je voulusse m'arrêter pour me reposer, ou soit que je demeurasse court; pour écouter parler ceux qui étaient avec moi, et qui prenoient plaisir à me voir tomber. Car alors n'étant pas accoutumé à ces larges semelles, je les mettois, sans y songer, l'une sur l'autre en m'arrêtant de façon qu'en voulant lever le pied je culbutois infailliblement dans la neige[4]».

Comme on le constate, cette pratique exigeante, étrangère à la culture des Français, ne s'acquiert pas sans un apprentissage laborieux.

Durant son voyage au pays des Hurons, Sagard apprécie grandement cette «très bonne invention: car avec elles, on n'enfonce pas dans les neiges et on fait bien du chemin en peu de temps[5]».

Tous ceux et celles qui vivent dans la colonie doivent durant l'hiver «monter à cheval» sur des raquettes[6]. Lahontan reconnaît que ce moyen de transport est indispensable aux coloniaux:

«Elles sont si nécessaires, écrit-il, qu'il seroit impossible, non seulement de chasser et d'aller dans les bois, mais même d'aller aux Églises, pour peu qu'elles soient éloignées des habitations[7]...»

L'usage des raquettes fait donc partie intégrante de la vie quotidienne des Français, puis des Canadiens en saison hivernale. La valeur de cette technique de déplacement est reconnue par les administrateurs coloniaux qui y voient un avantage militaire sur les Américains. Aussi incitent-ils, officiellement et avec rigueur, les habitants de la colonie à aller plus souvent en raquettes car ils ont tendance à préférer se déplacer à cheval[8].

Avant de devenir un divertissement et un sport, la raquette fut donc, pendant des siècles, essentiellement utilitaire. En effet, il faut attendre le milieu du XIXe siècle pour voir les raquettes utilisées à des fins récréatives et sportives. Ce sont des anglophones qui organisent des courses d'abord à Montréal en 1843, «à la rivière Saint-Pierre[9]», c'est-à-dire sur le terrain où se tiennent ordinairement les courses de chevaux, puis à Québec, sur l'Esplanade en 1854[10].

Le «Montreal Snow Shoe Club»

Le Montreal Snow Shoe Club ou La Tuque bleue, fondé en 1843, pose ici pour la postérité à l'occasion d'un concert donné le 17 février 1874 pour venir en aide à l'Hôpital général de Montréal. On y voit notamment les médailles et trophées gagnés par les membres du club, des raquettes de différentes formes et des crosses. Il arrive souvent que les raquetteurs, surtout anglophones, se regroupent pour former des clubs de crosse.

«The Montreal Snow Shoe Club (Tuque bleue) concert». *Canadian Illustrated News,* February 28, 1874, p. 132.

Un jeu national canadien

Ces courses devraient être un jeu national canadien, et nous prenons la liberté de suggérer la formation d'un club ou d'une société, sinon d'un régiment de raquetiers dans chacune de nos villes principales. Il y a en Scandinavie des régiments de patineurs qui en cas d'invasion pendant l'hiver rendraient de grands services en défendant la patrie. Pourquoi n'aurions-nous pas des régiments de raquetiers? Ils pourraient servir non seulement à la défense, mais à l'attaque. Un héros canadien, d'Iberville, a montré ce qu'ils pourraient faire. Une poignée de Canadiens, partis de Québec sous son commandement, au cœur de l'hiver, s'empara des forts anglais de la Baie d'Hudson.

En attendant la formation d'une société canadienne des raquettes, nous remercions MM. les militaires de la garnison d'avoir bien voulu nous communiquer le programme des courses qui doivent avoir lieu demain sur l'Esplanade.

«Courses en raquettes». *Le Canadien,* 21 mars 1854.

De 1845 à 1879, les quelques clubs de raquettes qui sont implantés à Montréal, Québec et Trois-Rivières, ont comme activité dominante, et souvent unique, l'organisation de courses. La présence des Canadiens français dans les clubs et dans les courses, durant cette période, ne dépasse pas vingt pour cent; c'est qu'elle est marginale. Aussi, les bourgeois anglophones imposent-ils, tout naturellement, leur mode de penser et d'agir lorsqu'il s'agit d'activités physiques, c'est-à-dire celui de la compétition sportive. Des trente-sept manifestations de clubs de raquettes dont la presse francophone fait état durant cette période, une seule n'entre pas dans la catégorie sportive. Il s'agit d'une «sortie», c'est-à-dire d'une promenade organisée par le Montreal Snowshoe Club, aussi appelé «La Tuque bleue[11]».

Les courses en raquettes sont alors très variées, allant du quart de mille au cinq milles. Toutefois, il faut dire que ce sont les courses d'un et de deux milles qui sont les plus fréquentes. Le mille est couru en huit minutes par J. Brown, un bon athlète de l'époque[12] et la course de quatre milles en trente-huit minutes par un Canadien français du nom de Dérocher[13]. En outre, des quelques Canadiens français qui participent à ces courses organisées par les anglophones, des Iroquois de Caughnawaga y prennent part, mais dans des catégories spécialement prévues pour eux, appelées «course des sauvages[14]». Comme on le constate, le racisme dans le sport n'est pas un phénomène récent.

À la fin des années 1870, le centre d'intérêt se déplace nettement. Sans disparaître, les courses en raquettes occupent, à partir de 1879, une place de moins en moins importante bien que l'on observe une prolifération exceptionnelle des clubs de raquettes: une quarantaine existent simultanément à Montréal et dans la région immédiate de la ville, une douzaine à Québec, une douzaine d'autres dans les villes de Trois-Rivières, Saint-Hyacinthe et Sherbrooke[15].

Si «s'amuser à marcher à la raquette[16]» suffit aux jeunes raquetteurs, les rédacteurs sportifs quant à eux voient dans la pratique de la raquette un exercice bienfaisant[17], une «excellente distraction et un exercice à nul autre pareil[18]», qui développe si bien les qualités physiques en même temps qu'il «égaie et repose

La dernière barrière
Les courses du «Grand Trunk Snow Shoe Club» de Montréal. La tenue vestimentaire des spectateurs indique clairement qu'il s'agit de membres de la bourgeoisie de Montréal.
«The Grand Trunk Snow Shoe Races: The last hurdle». *Canadian Illustrated News*, February 25, 1871, p. 113.

l'esprit[19]». Les dirigeants des clubs de raquettes ne s'embarrassent pas pour leur part de ces considérations théoriques quant aux buts de leur activité physique préférée. Les motivations des amateurs sont plus médiates; plus sociales qu'hygiéniques; plus récréatives que sportives. L'effervescence de ces clubs ne peut se définir par rapport à l'activité sportive comme telle, mais bien plutôt par des manifestations dont le caractère social est dominant. L'intérêt tient bien davantage à la réunion, à la manifestation socio-culturelle qu'à l'activité physique. Le costume importe autant que la raquette: symbole de ralliement et signe distinctif, il assure, de même que l'écusson savamment conçu, l'identification au groupe et sa manifestation extérieure. Sur les trois cent huit manifestations des clubs de raquettes inventoriés dans la presse francophone[20] entre 1880 et 1900, seulement quatorze pour cent comprennent des courses. Durant cette période, il existe pas moins de vingt et une catégories de courses, dont les plus fréquentes sont les courses du mille et du demi-mille. Viennent ensuite les courses d'un quart de mille, de deux milles et celles de cent verges. Les principales performances dans ces courses sont toutes réalisées par des anglophones: J. D. Amstrong court le quart de mille en 1 m. 05 s. et le cent verges en 11 s. 02. Le deux milles est franchi en 11 m. 52 1/2 s. par J. G. Ross; le mille en 5 m. 39 1/2 s. par J. F. Scholes et le demi-mille en 2 m. 37 s. par T. Moffat[21].

Il ne faut pas s'étonner qu'il n'y ait aucun Canadien français parmi les champions coureurs en raquettes durant cette période; les courses ne les préoccupent guère. La principale activité des clubs de raquettes est désormais «la sortie hebdomadaire», c'est-à-dire une promenade en groupe pouvant atteindre plus de deux cents raquetteurs[22] jusqu'à un hôtel déterminé où un repas attend la joyeuse bande qui veille souvent tard en soirée. À Montréal, l'activité des raquetteurs se passe sur le Mont-Royal[23] et autour. Des portes de l'université McGill, les raquetteurs traversent, ou contournent, la montagne pour se rendre, entre autres, chez Lumkin, Gariepy, Prendergast, Lajeunesse, qui possèdent un hôtel sur la Côte-des-neiges. C'est là que nos raquetteurs et raquetteuses mangent, boivent, discutent, chantent et dansent au moins une fois par semaine.

Le costume des raquetteurs et raquetteuses en 1880
Le costume importe autant que la raquette; il est un signe distinctif
et un symbole de ralliement. Chaque club porte un costume
polychrome différent qui l'identifie.
«Amusements d'hiver au Canada». *L'Opinion publique,* 23 janvier
1880, p. 42.

Les clubs les plus importants de Montréal, Québec, Trois-Rivières et Saint-Hyacinthe font aussi des «processions[24]» dans les rues et participent à plusieurs activités sociales et humanitaires. À Montréal, tout comme à Québec, leur participation au carnaval est très recherchée par les organisateurs. Leur nombre, leur dynamisme, leur costume leur confèrent des qualités spectaculaires hors de l'ordinaire. Ce sont très certainement les clubs sociaux les plus populaires, spectaculaires, et les plus vivants dans les années 1880.

L'intérêt envers leurs activités déborde largement le cadre du club. En janvier 1883, plus de deux mille personnes font, à l'invitation du club Le Canadien de Montréal, une excursion à Québec[25]. Deux ans plus tard, lorsque les membres du club Le Trappeur partent en excursion pour la même ville, pas moins de dix mille personnes vont les saluer à la gare Bonaventure. L'entrain est si fort que certains, qui ne devaient pas et qui n'auraient pas dû, accompagnent les excursionnistes jusqu'à... Québec, au grand «mécontentement» de leurs épouses «qui n'avaient pas prévu cette bordée[26] au dehors du foyer conjugal[27]». À Québec, le «défilé de la procession» des raquetteurs des clubs de Québec, Montréal et Ottawa dans les rues de la ville, attire plus de vingt mille personnes. Devant un tel succès, l'idée de tenir un carnaval d'hiver à Québec, sur le modèle de celui de Montréal, est relancée par le président du club de raquettes l'Union Commerciale de Québec, M. H.-A. Bédard[28].

Pour certains clubs, les excursions au Québec ne suffisent pas. Aussi, le Canadien et Le Trappeur de Montréal organisent même, en 1887, des excursions à New York[29] et à Boston[30], où ils sont reçus avec enthousiasme par les Canadiens français qui habitent ces villes américaines. Le «sentiment national» revit «au cœur» de ces compatriotes lorsque les raquetteurs québécois chantent «À la claire fontaine» et «Vive la canadienne[31]». Un mois plus tard, les membres du club de raquettes Canadiens français de Troy, dans l'État de New York, viennent en excursion à Montréal pour rendre la politesse aux raquetteurs Montréalais. C'est la fête[32].

Le programme des clubs de raquettes ne se limite pas aux

La procession au flambeau
Le sport a toujours recherché le patronage des hommes politiques.
En 1873, les clubs de raquettes de Montréal font une promenade
au flambeau autour du Mont-Royal en l'honneur du gouverneur
général Lord Dufferin et son épouse.
L'Opinion publique, 6 février 1873, p. 68.

«Le Canadien» et «Le Trappeur» à Saint-Hyacinthe

S e rendant à la gracieuse invitation de leurs confrères de Saint-Hyacinthe, une nombreuse délégation des clubs «Le Canadien» et «Le Trappeur» est partie, samedi soir, pour cette dernière ville.

Les excursionnistes, au nombre d'environ 27 «Canadiens» et 23 «Trappeurs», plus plusieurs dames, furent reçus à leur arrivée, par les officiers des deux clubs de Saint-Hyacinthe, au milieu des hourrah de la foule. Après un brillant feu d'artifice, les visiteurs furent conduits aux divers hôtels où ils passèrent une agréable soirée avec leurs hôtes.

Dimanche après-midi, à une heure, eut lieu une grande procession, à travers les principales rues de la ville. Il y avait 125 voitures. Le premier sleigh contenait les présidents des divers clubs.

À 3 heures, eurent lieu les courses annuelles des clubs de Saint-Hyacinthe.

La première course, 2 milles, ouverte aux membres des clubs invités et locaux, fut gagnée par M. J. Provost, du «Trappeur», de Montréal.

Prix: Médaille d'or, présentée par M. Ls. Côté.

Deuxième course, 1/4 mille, pour les membres du club le «Trappeur» de Saint-Hyacinthe. Prix: Médaille d'or, présentée par le «Trappeur» de Montréal. Gagnée par M. A. Mathieu.

Troisième course, 1/2 mille, pour les clubs locaux. Prix: Médaille d'or, présentée par M. Horace Boisseau. Gagnée par M. P. E. de la Bruyère du club «Saint-Hyacinthe».

Quatrième course, 1 mille — pour les clubs invités et locaux. Prix: Médaille d'or, présentée par «Le Canadien», de Montréal. Gagnée par M. J. Provost, du club «Le Trappeur» de Montréal.

Cinquième course, 120 verges, avec barrières — pour les clubs invités et locaux. Prix: Médaille d'or, présentée par les dames. Gagnée par M. O. St. Denis, du «Canadien».

Sixième course, 1/4 mille — pour le club «Saint-Hyacinthe». Prix: Médaille d'or, présentée par les conseillers. Gagnée par M. T. Robitaille.

Septième course, 150 verges, à répéter — pour les clubs invités et locaux. Prix: Médaille d'or, présentée par l'honorable M. Mercier. Gagnée par M. A. Nault, du «Canadien».

Huitième course, 100 verges, à répéter — pour les clubs locaux. Prix: Médaille d'or, présentée par les citoyens du Beaver Hall. Gagnée par M. J. Laframboise, du club «Saint-Hyacinthe».

Ces courses ont eu un grand succès et le plus grand enthousiasme y a régné.

Les juges étaient MM. A. Barsalou, V. B. Sicotte, J. N. Nault, F. Lacombe, S. Beaudin; signaleur, N. J. Chaput.

Dans la soirée eut lieu le banquet, auquel environ 125 personnes prirent part. M. J. Naud, du club «Saint-Hyacinthe», présidait.

Après le repas qui, comme bien l'on pense, fut des plus joyeux, on proposa les santés, auxquelles il fut répondu comme suit: Les autorités fédérales et provinciales, l'honorable M. Mercier: la ville de Saint-Hyacinthe, M. le maire Côté; les clubs invités, M. S. Beaudin; les juges, M. V. B. Sicotte; la Presse, M. O. Desmarais; les Dames, M. Roy.

Le banquet fut donné à l'Hôtel-Dieu et, avant de se retirer, l'honorable M. Mercier proposa la santé des bonnes religieuses qui avaient bien voulu accorder aux clubs une si gracieuse hospitalité. Cette santé fut bue avec enthousiasme.

Les clubs de Montréal sont revenus, hier matin, à 9 heures, enchantés de leur voyage et pleins de reconnaissance pour leurs hôtes généreux de Saint-Hyacinthe, qui les ont reçus comme de véritables frères.

«Le Canadien» et «Le Trappeur» à Saint-Hyacinthe». *La Presse*, 10 février 1885, p. 3.

promenades et aux excursions; ils ont aussi des soirées drama-tiques[33], de danse, des banquets[34], des bals[35], des concerts[36]. Certains clubs prolongent même leurs activités jusqu'en saison estivale en organisant des excursions «au clair de lune» à bord d'un bateau à vapeur sur le fleuve[37] pour renflouer la caisse du club en prévision des activités hivernales. Cette façon de financer les activités du club annonce des difficultés. En effet, les membres n'autofinancent plus leurs propres activités; ils prélèvent à même la société les argents nécessaires. Dès lors, l'avenir de ces clubs devient précaire car elle est largement assujettie à la réussite des activités de financement.

Cette orientation sociale des clubs de raquettes éloigne «le public anglais» qui, de toute évidence, considère que la première fonction d'un club sportif est de voir à l'organisation de compéti-tions sportives[38]. Par contre, cette perte est compensée par un gain qui va davantage accentuer la fonction sociale des clubs de raquettes canadiens-français. En effet, en donnant une fonction sociale dominante à leurs clubs, les raquetteurs canadiens-français vont accorder une place importante à la femme pour qui sont organisées des «sorties» et des «soirées spéciales»[39], en plus de participer aux activités sociales telles que danses, banquets, bals, concerts, etc. Seules les courses sont réservées aux hom-mes; cependant les femmes assistent au spectacle.

Cette fonction sociale des clubs de raquettes influence aussi l'organisation des courses dont la plus significative concerne la fréquence qui diminue à mesure que l'on se rapproche de la fin du siècle. De plus, les courses en raquettes, bien qu'elles compren-nent des épreuves sportives, sont, le plus souvent, organisées en fonction des participants, et non selon les principes du sport (sélection, catégories hiérarchisées, performance, record, cham-pion, etc.). On en profite également pour organiser des courses burlesques telles que la course à patates, la course pour les hom-mes gras, ou encore des courses de circonstance, soit pour les invités, soit pour les membres du conseil de direction d'un club de raquettes. L'amusement est devenu l'élément important; c'est le caractère festif qui domine.

Qui fait partie de ces clubs de raquettes si populaires à la fin du XIXe siècle? Les ouvriers? Sûrement pas, car ils n'ont pas les moyens de se payer un repas et une soirée hebdomadaire dans un hôtel de la Côte-des-Neiges. Les journalistes de la presse francophone s'entendent sur le statut social des membres de ces clubs socio-sportifs: à Montréal comme à Québec, on y retrouve les membres de «l'élite de notre société canadienne-française[40]», le «highlife» des villes[41]. Il n'est donc pas étonnant que les maires soient ordinairement président honoraire du plus important club de leur ville quand ce n'est pas le premier ministre, du Québec ou du Canada, le lieutenant-gouverneur de la province ou même le gouverneur général de la Puissance du Canada[42].

Malgré ce haut patronage, les clubs de raquettes connaissent, à la fin du siècle, un déclin sensible; la mode passe et change, et l'enthousiasme des années 1880 n'y est plus. Les clubs, même les plus importants tels que Le Canadien et Le Trappeur, perdent la moitié de leurs membres[43]; les «sorties» n'attirent plus que de petits groupes[44] et les trésoriers font souvent état de difficultés financières[45]. Les causes de cette désaffection sont obscures, mais il semble que le fait d'avoir négligé les compétitions, c'est-à-dire l'aspect sportif de la raquette, pour privilégier la fonction sociale du club de raquettes (liens d'amitiés entre raquetteurs, soirées récréatives, etc.) soit la principale cause de ce déclin[46]. La raquette a vécu son âge d'or.

NOTES

1. SAGARD, P. Gabriel. *Le grand voyage au pays des Hurons*. Montréal, les amis de l'histoire, 1969, p. 66. Première édition publiée en 1632.

2. LEJEUNE, Paul. «Relation de ce qui s'est passé en la Nouvelle-France en l'année 1633». *Relations des Jésuites*. Vol. V: *Québec 1632-1633*. Montréal, Éditions du Jour, 1972, p. 126.

3. *Ibidem*.

4. LEBEAU, Claude. *Avantures ou voyage curieux et nouveau Parmi les Sauvages de l'Amérique Septentrionale*. Première partie, New York, Johnson Reprint Corporation, 1966, p. 83.

5. SAGARD, P. Gabriel. *Op. cit.* supra, note 1, p. 67.

6. LEJEUNE, Paul. «Relation de ce qui s'est passé en la Nouvelle-France en l'année 1634». *Relation des Jésuites*. Vol. I: *1611-1636*. Montréal, Éditions du Jour, 1972, p. 67.

7. LAHONTAN, Louis-Armand. *Nouveaux voyages de Mr Le Baron de Lahontan dans l'Amérique Septentrionale*. Tome I, LaHaye, chez les Frès l'Honoré, 1703, p. 73.

8. «MM de Vaudreuil et Bégon au Ministre, le 12 novembre 1712». *Rapport de l'archiviste de la province de Québec, 1947-1948*. Québec, Redempti Paradis, p. 139.

9. «Course à la raquette». *Le Canadien*, 7 février 1845. HOWELL and HOWELL. *Sports and Games in Canadian life*. Toronto, MacMillan, 1969, p. 27.

10. «Courses en raquettes». *Le Canadien*, 8 février 1854.

11. «Partie de Raquettes». *La Minerve*, 4 février 1874, p. 2. Ce club, fondé en 1843, est probablement le premier club de raquettes à être formé en Amérique du Nord.

12. «Club Aurora de Raquettes». *La Minerve*, 11 mars 1858, p. 2.

13. «Courses en raquettes». *Le Canadien*, 14 février 1845, p. 3.

14. Voir le programme des courses organisées par le club Aurora, le 5 mars 1858. «Club de raquettes Aurora». *La Minerve*, 1er mars 1858, p. 3.

15. La plupart de ces clubs n'ont pas d'existence légale, il est donc très difficile de savoir la date exacte de leur formation. Le présent inventaire a été fait en consultant la presse francophone: *Le Canadien*, *Le Soleil* de Québec, *La Minerve*, *La Patrie*, *La Presse* de Montréal, *Le Courrier de Saint-Hyacinthe* et le *Journal des Trois-Rivières*.

16. «Club de raquette». *La Minerve*, 26 novembre 1880, p. 3.

17. (Les Scottish American...). *Le Canadien,* 26 janvier 1881, p. 3.

18. «Lévis». *La Minerve,* 17 janvier 1882, p. 2.

19. «La raquette». *La Presse,* 3 février 1885, p. 4.

20. Voir note 15.

21. «La raquette - vitesses enregistrées». *La Presse,* 23 mars 1885, p. 3.

22. «Les raquetteurs». *Le Canadien,* 24 décembre 1884, p. 3.

23. «La raquette». *La Presse,* 3 février 1885, p. 4.

24. Ainsi employée, l'expression «procession» exprime bien l'influence religieuse de l'époque. Les défilés de raquetteurs n'ayant évidemment aucun caractère religieux.

25. «Le club Le Canadien». *La Patrie,* 9 janvier 1883, p. 3.

26. Expression maritime qui signifie «route parcourue par un navire qui louvoie sans virer de bord» (Robert). L'emploi par analogie de termes marins est très fréquent au XIXe siècle.

27. «Trappeurs et Frontenac». *La Presse,* 7 janvier 1885, p. 4. En 1884, les clubs Le Canadien et Le Trappeur comptent respectivement cinq cent soixante et cinq cents membres. Ce sont les deux clubs les plus importants. «Sixième rapport annuel du club de raquettes». *Le Canadien,* 7 novembre 1884, p. 1. «Le Trappeur». *La Presse,* 27 novembre 1884, p. 2.

28. «La raquette à Québec». *La Presse,* 14 janvier 1885, p. 4.

29. «Le Canadien à New York». *La Patrie,* 7 janvier 1887, p. 1.

30. «Excursion à Boston». *La Minerve,* 13 janvier 1887, p. 1.

31. «Adresse de bienvenue». *La Feuille d'Érable,* 1er janvier 1887, p. 3.

32. «À travers la ville». *La Minerve,* 14 février 1887, p. 1.

33. «Club Le Canadien». *La Patrie,* 9 juin 1880, p. 3. «Musical». *Le Canadien,* 5 janvier 1883, p. 3.

34. «Banquet annuel des membres du club de raquettes de la Douane». *La Presse,* 4 mars 1885, p. 3. «Banquet». *La Patrie,* 12 février 1900, p. 2.

35. «1er bal annuel du club de raquettes Le Canadien». *La Patrie,* 4 avril 1887, p. 4. «Le Montagnard». *La Patrie,* 10 janvier 1900, p. 2.

36. «Club Le Trappeur». *La Patrie,* 13 novembre 1888, p. 4. «Le concert du Montagnard». *La Patrie,* 9 février 1900, p. 2.

37. «Excursion des trappeurs». *La Minerve,* 9 septembre 1884, p. 1. «Excursion au clair de lune». *La Presse,* 11 juin 1886, p. 3.

38. «Club de raquettes Le Trappeur». *La Presse,* 16 mars 1884, p. 4.

39. C'est le club Le Canadien de Montréal qui innove en décidant, le 21 novembre 1884, que «des soirées spéciales pour les dames» auraient lieu «les premiers jeudis des mois de décembre, janvier, février et mars». «Le Canadien». *La Presse,* 22 novembre 1884, p. 1.

40. «Le Canadien». *La Presse,* 6 décembre 1884, p. 7. «Le bal du Quebec Snow Shoe Club». *Le Soleil,* 23 janvier 1900, p. 1.

41. «Club de raquettes Le Canadien». *La Patrie,* 4 avril 1887, p. 4.

42. «Le club Le Canadien». *La Patrie,* 9 janvier 1883, p. 3. «Raquettes». *Le Canadien,* 4 mars 1884, p. 1. «Le Huron». *La Presse,* 29 décembre 1884, p. 3.

43. «Le Montagnais». *L'Électeur,* 30 janvier 1894.

44. «Le Montagnard». *La Patrie,* 9 novembre 1899, p. 8.

45. «Le Montagnard». *La Patrie,* 6 décembre 1899, p. 2.

46. «Le club Champêtre». *La Patrie,* 3 novembre 1909, p. 3. Le secrétaire de ce club, J.-E. Carpentier, expose le conflit qui existe entre les tenants des deux orientations.

12

Les régates

L e mot régate (1679) serait emprunté au terme vénitien «régata» qui signifie «défi[1]». Une régate est donc une course de bateaux à la voile ou à l'aviron. Si le mot est d'origine vénitienne, les premières régates «sportives» seraient nées à l'initiative de nobles Anglais sous la protection du roi Charles II, à la fin du XVIIe siècle[2].

Aussi lorsque des bourgeois et des aristocrates anglophones organisent les premières régates, dans les années 1820[3], sur le fleuve Saint-Laurent, en face de Québec, ils possèdent déjà une expérience de plus d'un siècle dans l'organisation et la pratique de ce sport.

Organisées sur le modèle des courses de chevaux[4], dont l'origine est britannique, ces compétitions sont déjà structurées. Toutefois, nous ne sommes pas encore en présence d'une organisation sportive stable comme celle qui sera mise en place après 1860, notamment par la formation de clubs nautiques.

Comment s'organise une régate au début du XIXe siècle? C'est en 1830 qu'un groupe de gentilshommes décident de mettre sur pied les grandes régates de Québec, sous le patronage de son Excellence, Sir James Kempt, gouverneur général du Bas-Canada[5]. Ces grandes régates comprennent huit courses réparties dans deux catégories: les bateaux à voiles et les bateaux à rames portant quatre ou six rameurs. Le canot des «Sauvages» est aussi utilisé. Les vainqueurs reçoivent une médaille s'ils sont «gentlemen», les autres des montants d'argent[6].

À la fin des années 1830, des «joutes sur l'eau entre des chaloupes à voiles et à rames[7]» commencent à se manifester dans la région immédiate de Montréal, notamment dans la baie de Longueuil[8]. Déjà au milieu du siècle, des régates sont organisées sur le fleuve en face d'une dizaine de villages et de villes. Toutefois, la ville de Québec demeure le lieu privilégié des amateurs de régates.

Courses de bateaux de Québec

Les préposés aux courses préviennent que les vaisseaux seront en place, comme il a déjà été annoncé, le VENDREDI 3 AOÛT, et que, ce jour-là ou le suivant, selon que le vent sera favorable, ils seront prêts à faire courir les chaloupes de la classe des pilotes et des traversiers de la Pointe-Lévi, de 10 heures à 3 et à juger le prix aux vainqueurs. Les pilotes et les traversiers qui désirent entrer en lice voudront bien donner leurs noms, d'ici au 2 août, en l'étude de Mtre Arch. Campbell, où une liste de souscription est déposée, ainsi qu'aux chambres de la Bourse.

J. S. CAMPBELL,
secrétaire

«Courses de bateaux de Québec». *La Gazette de Québec,* 30 juillet 1827, p. 2.

Des courses naumachiques

On voit par les papiers de Québec que lundi le 22 et mardi le 23 août auront lieu devant la ville, si le temps le permet, des Courses Naumachiques, appelées par les Anglais «Regatta». Elles sont organisées à peu près sur le même système que les courses de chevaux. Il y a des prix pour chaque espèce de petites embarcations qui naviguent ordinairement le fleuve, tant à la voile qu'à la rame. Le même amusement a eu lieu l'année dernière. Il est annoncé comme patronisé par Son Excellence.

(On voit par...). *La Minerve*, 1er août 1831, p. 3.

Quelques années après la tenue des premières régates de 1830, un club, l'institution de base du sport, est formé. En effet, c'est en 1837 que le Quebec Rowing Club est fondé par des anglophones de la ville de Québec[9]. Nous en savons peu sur ce premier club nautique formé au Québec et qui aurait vécu au moins jusqu'en 1845 alors que certains de ses membres gagnent la plupart des épreuves aux régates de Montréal[10].

Durant cette première moitié du XIXe siècle, les militaires de la garnison de Québec sont très actifs; on en retrouve quelques-uns dans presque toutes les régates organisées sur le fleuve en face de Québec[11].

Le Quebec Rowing Club réunissait surtout des amateurs de courses de chaloupes de deux à six rames. Il faut attendre le début des années 1860 pour voir se former le premier club qui aura comme principale préoccupation les courses de yachts à voiles. Selon Hector Cimon, le Quebec Yacht Club aurait été fondé en 1862[12] et les journaux de l'époque publient la première annonce du club le 16 octobre 1862[13].

Des clubs similaires sont aussi formés à Beauharnois, Lachine et Longueuil, quelques années après celui de Québec. Vers 1900, il existe au moins une douzaine de clubs dont la plupart sont concentrés dans la région de Montréal. Des régates se tiennent plus ou moins régulièrement à une vingtaine d'endroits au Québec[14].

Ces régates ne se manifestent pas toutefois sans causer des tensions sociales et même nationales.

En 1867, James Gibb Jr. achète à New York «le magnifique yacht le Black Hawk (le faucon noir) dans l'espérance de battre La Mouette et autres vaisseaux de construction canadienne[15]». Le yacht La Mouette a été construit à Lévis en 1864 par Édouard Desnoyers, natif de Cap-Blanc, d'après les plans du docteur Philippe Wells (1823-1894), fils de Nicolas Wells, ancien constructeur de navires. C'était un sloop aux lignes inusitées «que personne ne pouvait comprendre» selon Hector Cimon[16]. Auguste-Réal Angers, Joseph-Noël Bossé et Eugène Chinic en étaient les propriétaires.

Chaque compétition, mettant aux prises les deux yachts, est l'occasion de vérifier la supériorité des constructeurs canadiens.

Un yacht canadien

Le yacht du lieutenant Delatour et le Saint-Laurent, bateau appartenant à M. Cinq-Mars, pilote, sont partis ce matin pour l'Île Verte, à l'heure fixée. Lorsque les deux embarcations ont passé devant la ville, le bateau de M. Cinq-Mars avait pris de l'avance sur son antagoniste. Un certain intérêt s'attache à cette course, vu que le yacht de M. Delatour, qui a fait le défi, est de construction américaine et a une certaine réputation de vitesse, et que le bateau de M. Cinq-Mars a été construit par un Canadien de l'Île d'Orléans. On dit que les divers paris faits sur cette course dépassent la somme de L 1000.

«Course». *Le Canadien,* 13 novembre 1848.

TOM SAYERS.   VULCAN.   QUATRE FRÈRES.

Course de yachts à Québec
Cette course organisée par des «gentlemen» du Quebec Yacht
Club, en 1863, entre le Tom Sayers, le Vulcan et le Quatre Frères
a été gagnée par le Vulcan de l'épicier J. Kennedy. Le Vulcan était
du type de chaloupe des pilotes et a été construit à l'île d'Orléans. Il
mesurait 24,5 pieds de longueur par 8,5 pieds de largeur.
Canadian Illustrated News, November 7, 1863.

Le Canadien de Québec insiste sur le caractère national des compétitions et amplifie le moindre incident susceptible d'appuyer ses convictions.

Lors de la première victoire de La Mouette sur le Black Hawk pour le titre de champion du Saint-Laurent[17] et du Canada, le rédacteur du Canadien ne s'étonne pas de ce succès qui est tout «à la gloire de tous nos constructeurs Québecquois[18]». Lorsque La Mouette perd une course, le chroniqueur s'empresse de trouver des excuses et allant même jusqu'à mettre en doute la bonne foi de l'adversaire[19]. Finalement, il n'a pas été possible d'établir la supériorité de l'un ou l'autre des yachts, chacun remportant tour à tour une victoire sur l'autre. Quoi qu'il en soit, La Mouette a été un élément de fierté nationale durant quelques années dans la région de Québec. Cet «orgueil national parmi les Canadiens français» de la ville de Québec trouve même son écho dans les journaux de la métropole.

L'on sait que depuis la fondation même de Montréal, il s'est développé une rivalité entre la capitale et la métropole. Les régates sont aussi un lieu d'expression des régionalismes entre les deux villes.

À l'occasion de la tenue de l'exposition provinciale de Québec en 1871, les organisateurs, pour attirer le plus grand nombre possible de personnes dans la capitale, prévoient des régates sur le fleuve en face de Québec. En même temps, le comité des régates de Longueuil organise des compétitions nautiques le même jour. Le président de la Société d'agriculture de Québec demande que les régates de Longueuil soient reportées à une date ultérieure, faisant valoir que l'exposition «est une affaire générale et non Québecquoise. Tous ceux qui tiennent à la prospérité et à l'honneur agricole et industriel du Bas-Canada, doivent donc l'encourager».

Le rédacteur du Canadien de Québec y va d'une charge qui n'a certainement pas aidé les organisateurs de l'exposition de Québec dans leur négociation avec ceux des régates de Longueuil:

«Peut-on supposer qu'il se trouvent des esprits assez étroits pour essayer de nuire, par intérêt de localité aussi mesquin que peu patriotique, à cette exposition générale[20].»

Course de jeunes garçons
Cette course de jeunes garçons fait partie du programme des régates de Lachine, le 12 août 1872. En deuxième place, A. Taschereau, 13 ans, précédé par Wm. McNider, âgé de 11 ans.
«Les regattes à Lachine». *L'Opinion publique,* 29 août 1872, p. 416.

Après de telles accusations, l'auteur demande lui aussi aux «messieurs de Longueuil» de choisir une autre date. Le comité des régates de Longueuil refuse catégoriquement de remettre ses courses à un autre jour. Déçu, *Le Canadien* s'en remet à l'opinion publique en espérant qu'elle blâmera l'attitude des organisateurs des régates de Longueuil:

«Nous laissons au public le soin de juger de l'intérêt que porte ce comité, composé des premiers citoyens de Montréal, à l'exposition provinciale et à l'encouragement agricole. Si les citoyens de Québec eussent agi comme eux, quelles récriminations n'eussent-ils pas amenées contre leur étrange conduite[21].»

Comme on le constate, une fois de plus, le sport n'échappe pas au contexte social dans lequel il s'insère, mais vit lui aussi les tensions agitant la société en général. L'univers des sports est un mythe!

Durant presque toute la première moitié du XIXe siècle, les régates sont des compétitions locales. Par exemple à Québec, les compétiteurs sont le plus souvent les pilotes du Saint-Laurent et les capitaines des traversiers faisant la navette entre Québec et Lévis[22]. Ce sont des professionnels de la navigation sur le fleuve[23]. Pour ce qui est des compétitions de chaloupes à rames, ce sont essentiellement des «gentlemen» anglophones qui y participent[24].

Toutefois, dès 1845, des anglophones de la ville de Québec participent avec succès aux régates de Montréal. Les victoires des compétiteurs de Québec, tant à la voile qu'à la rame, réjouissent les amateurs de Québec qui se moquent des Montréalais[25]. En 1850, les régates de Montréal, organisées à l'occasion de l'exposition provinciale, attirent des concurrents de Kingston[26].

Ce n'est qu'en 1867 que le Quebec Yacht Club organise la première grande régate pour déterminer le champion du Saint-Laurent[27] qui, en même temps, sera le champion du Canada[28].

Vingt ans plus tard, le St-Lawrence Yacht Club organise les premières régates internationales sur le lac Saint-Louis. L'enjeu de cette importante compétition internationale est la coupe Seawanhaka qui a été enlevée au club de New York en 1896 par le Glencairn, yacht construit spécialement pour l'occasion d'après les plans de M. Duggan. La course a eu lieu à Oyster Bay[29]. Cette

Les régates de Longueuil
Départ d'une course à l'aviron à quatre sans barreur. La course est suivie par des milliers de spectateurs, dont certains et certaines sur un bateau à vapeur. Ces régates de Longueuil se tiennent en même temps que l'exposition provinciale de Québec en 1871, ce qui ne manque pas de réveiller les partisaneries régionales.
«The four-oared boat race at Longueuil: the start». *Canadian Illustrated News*, September 23, 1871, p. 193.

Rivalité Québec-Montréal

Les préparatifs pour l'exhibition provinciale, à Québec, ne se discontinuent point, et cette dernière promet d'être intéressante.

Un grand nombre de visiteurs étrangers et distingués vont y assister. Le gouverneur général, Lord Lisgar, l'Amiral de la flotte anglaise à Halifax, la plupart des ministres et beaucoup d'autres personnages haut placés, honoreront de leur présence cette exposition générale de nos produits.

Les frais de transport sur les chemins de fer et sur les steamers ont été réduits de moitié. Déjà le nombre des exposants est grand et la plupart des chambres dans les divers hôtels sont retenues d'avance par les étrangers.

Le comité de direction fait tout en son pouvoir pour fournir aux exposants tous les accommodements possibles.

Les citoyens de Québec ont pensé aussi d'amuser les visiteurs. Ils auront toutes sortes de divertissements.

Nous apprenons avec plaisir que les deux chaloupes anglaises qui ont lutté à Halifax viennent positivement à Québec. Les autres n'ont pu donner encore une réponse certaine, à cause des régattes qui doivent avoir lieu, à Longueuil, le 13 et le 14.

À Québec, on éprouve avec raison un certain mécontentement à ce sujet. L'exhibition Provinciale est une affaire générale et non Québecquoise. Tous ceux qui tiennent à la prospérité et à l'honneur agricole et industriel du Bas-Canada, doivent donc l'encourager.

Peut-on supposer qu'il se trouve des esprits assez étroits pour essayer de nuire, par un intérêt de localité aussi mesquin que peu patriotique, à cette exposition générale. La chose est difficile à admettre. Nous ne pouvons donc croire, comme bien du monde, que le comité des régattes de Longueuil ait cherché à détourner les visiteurs de se rendre à Québec, en les attirant chez eux, par des amusements publics, que l'on veut donner précisément les jours mêmes que se tiendra notre exposition provinciale.

Cependant, il nous paraît un peu étrange que le comité n'ait pas pensé à choisir une autre date. C'est probablement un oubli. Dans tous les cas, il est encore temps, pour lui, de remettre ou d'avancer ces régattes, si le comité tient à démontrer au public qu'il n'a eu aucune mauvaise intention de nuire à l'exposition générale.

Encore une fois, nous espérons que les messieurs de Longueuil céderont devant l'intérêt le plus général, car ils ne doivent pas ignorer que plus on pourra attirer de visiteurs à notre exposition provinciale, plus nos cultivateurs et nos industriels y gagneront. Pour les y attirer, il faut pouvoir mêler l'agréable à l'utile, et la course des régattes est l'un des plus puissants moyens d'engager nos compatriotes trop indifférents à visiter notre exposition provinciale.

Le nombre immense de Québecquois qui ont visité Montréal, l'an dernier, en est une grande preuve.

Les citoyens de Québec ont droit d'espérer que personne ne cherchera, du moins cette année, de détourner les personnes du district de Montréal qui aimeront, à leur tour, à encourager l'exposition générale qui se tiendra à Québec, le 12 du courant et les jours suivants.

«L'exhibition provinciale - Les regattes». *Le Canadien,* 4 septembre 1871, p. 2.

coupe restera au moins six longues années dans «la spacieuse salle du St-Lawrence Yacht Club». En 1901, c'est le Senneville, dirigé par MM. Duggan et Shearwood, qui gagne la course triangulaire de douze milles en faisant le trajet en «deux heures vingt-neuf minutes et cinq secondes[30]».

À la faveur de l'organisation de ces grandes compétitions internationales, le centre d'attraction des régates se déplace de Québec au lac Saint-Louis. Aussi, le rapport annuel du Quebec Yacht Club, pour l'année 1903, regrette «que l'intérêt pour les courses de yachts se soit évanoui[31]». Ce manque d'intérêt est évidemment désastreux pour un club dont le but principal est justement l'organisation de régates. Il faudra bien un jour faire une étude afin de connaître les causes de cette désaffectation des régates à Québec.

Durant tout le XIXe siècle, les organisateurs des régates sont presque tous des anglophones. On constate très rarement la présence de noms à consonance francophone dans la liste des dirigeants de clubs de yacht avant les années 1880[32]. Aucun Canadien français n'accède à la présidence du Quebec Yacht Club au XIXe siècle. En 1867, ce club compte quarante-trois membres, dont dix seulement sont Canadiens français[33].

Il n'est pas possible, compte tenu des données actuellement disponibles, de connaître, avec un tant soit peu d'exactitude, le nombre de spectateurs qui assistaient à ces compétitions nautiques.

Même si les journaux invitent le public à jouir de cet amusement, tout en afffirmant qu'une «foule immense de spectateurs[34]» ou «un grand nombre de spectateurs[35]» assistaient aux régates, il faut admettre que ces spectateurs sont, du moins avant 1860, principalement des dames et des messieurs[36], donc en nombre plutôt réduit. Dans la deuxième moitié du siècle, les régates semblent attirer des foules considérables même si elles se tiennent un jour de la semaine. En 1865, les régates de Lachine attirent entre cinq et six mille spectateurs. En 1870, le rédacteur du *Canadien* estime entre quarante-cinq et cinquante mille, le nombre de spectateurs qui assistent aux régates de Lachine[37]. Les données chiffrées sur le nombre de spectateurs étant à toute fin pratique inexistantes, il n'est pas possible, du moins pour le moment, de

Course de jeunes filles
À l'occasion de certaines régates, il arrive que les organisateurs ins-crivent au programme des courses «amusantes», notamment des courses de jeunes filles ou de dames.
«Les régattes du Grand-Tronc vis-à-vis l'île des Sœurs». *L'Opinion publique,* 5 septembre 1878, p. 430.

connaître de façon satisfaisante la popularité réelle de ces compétitions nautiques.

Sauf exception, durant tout le XIXe siècle, les régates ont lieu
un jour de la semaine, surtout le samedi, plutôt que le dimanche,
seul jour de congé pour la plupart des Canadiens français. Ce fait
à lui seul est suffisant pour réduire la popularité des régates.

Le choix de ce jour s'applique facilement. En effet, nous
savons que ce sont très majoritairement les anglophones qui organisent et participent aux régates. Or, les anglo-protestants, contrairement aux catholiques, sont très respectueux de l'observance
du dimanche. Ils le sont d'autant plus qu'il s'agit de bourgeois et
même d'aristocrates qui doivent et se font un point d'honneur, vu
leur condition, de donner l'exemple au peuple.

NOTES

1. BLOCH, Oscar et W. van Wartburg. *Dictionnaire étymologique de la langue française.* Paris, P.U.F., 1960.

2. HEATON, Peter. *Histoire du yachting.* Paris, Denoël, 1973, p. 10, 11.

3. «Quebec Regatta». *The Quebec Gazette,* July 26, 1827, p. 2.

4. (Les préparatifs...). *La Gazette de Québec,* 1er août 1831, p. 2.

5. Il arrive même que le Gouverneur fasse signifier aux organisateurs qu'il désire patronner les régates. «Regatta». *Le Canadien,* 8 août 1833, p. 2.

6. «A Grand Regatta». *The Quebec Gazette,* August 13, 1830, p. 2.

7. (Vendredi...). *La Minerve,* 21 septembre 1837, p. 3.

8. «Régattes de Montréal». *La Minerve,* 18 septembre 1845, p. 2.

9. GALES, Georges. *Quebec Twext Old and New.* Quebec, The Telegraph Printing, 1915, p. 266.

10. «Régattes de Montréal». *La Minerve,* 18 septembre 1845, p. 2.

11. (Une réunion de gentilshommes...). *La Gazette de Québec,* 20 mai 1831, p. 2. Plusieurs régates sont dues à l'initiative de militaires de la garnison de Québec.

12. CIMON, Hector. *Un siècle de yachting sur le Saint-Laurent 1861-1964.* Québec, Garneau, 1966, p. 22.

13. «Quebec Yacht Club». *The Morning Chronicle,* October 16, 1862.

14. JUNEAU, Monique. «Le classement sommaire de la documentation sur les régates au XIXe siècle». *Bulletin GRHAP,* vol. 1, no 3 (août 1977), p. 54.

15. «Les régattes». *Le Canadien,* 9 septembre 1867, p. 2.

16. CIMON, Hector. *Op. cit.* supra, note 12, p. 38.

17. «Titre de champion du Saint-Laurent». *Le Canadien,* 16 septembre 1867, p. 3.

18. «La Mouette victorieuse». *Le Canadien,* 16 septembre 1867, p. 2. Le journal publie dans la même édition un impromptu en l'honneur de La Mouette composé par M. L. J. C. Fiset.

19. «Courses annuelles des Yachts». *Le Canadien,* 28 septembre 1868, p. 2.

20. «L'exhibition provinciale – Les régattes». *Le Canadien,* 4 septembre 1871, p. 2.

21. «Les régattes». *Le Canadien,* 6 septembre 1871, p. 2.

22. «Quebec Regatta». *The Quebec Gazette,* July 26, 1827, p. 2. «Courses de bateaux de Québec». *La Gazette de Québec,* 30 juillet 1827, p. 2.

23. «À l'Éditeur de la Gazette de Québec». *La Gazette de Québec*, 30 août 1830, p. 2.

24. «The Regatta». *The Quebec Gaz..'te*, September 2, 1830, p. 2.

25. «Régattes de Montréal». *La Minerve*, 18 septembre 1845, p. 2.

26. «Les Régates». *La Minerve*, 21 octobre 1850, p. 2.

27. «Titre de champion du Saint-Laurent». *Le Canadien*, 6 septembre 1867, p. 3.

28. «La Mouette victorieuse». *Le Canadien*, 16 septembre 1867, p. 2.

29. «Régates internationales sur le lac Saint-Louis». *Le Soleil*, 17 août 1897.

30. «Le Senneville est trop rapide, c'est ce qu'ont constaté les marins du Greyfriar». *La Patrie*, 29 juillet 1901, p. 2.

31. CIMON, Hector. *Op. cit*, supra, note 12, p. 163.

32. «Club Nautique de Beloeil». *La Presse*, 1er juillet 1885, p. 4.

33. CIMON, Hector. *Op. cit.* supra, note 12, p. 36. Il faut dire que la population anglophone de la ville de Québec comptait pour 40%.

34. «Les régates». *Le Canadien*, 28 septembre 1863.

35. «Régattes». *Le Canadien*, 6 septembre 1865.

36. (Aujourd'hui...). *La Gazette de Québec*, 15 août 1833, p. 2.

37. «Les régattes de Lachine». *Le Canadien*, 19 septembre 1870, p. 2.

13
Le tir à la carabine

L es exercices de tir ont manifestement une origine guerrière. Dès lors, on comprend que cet exercice ait été, d'un côté, vivement décrié parce qu'on y apprend «l'art de tuer», tout en étant, d'un autre côté, vivement encouragé par les ministères de la guerre de différents pays.

Les premiers «bâtons à feu» ou «canons à main» furent mis au point à la fin du XIVe siècle. Selon Jean Delumeau, «ils étaient constitués d'un tube de fer sans fût ni support tenu à deux mains par le tireur, tandis qu'un aide versait la poudre dans une lumière située sur la face supérieure du tube et y mettait le feu[1]». Ces armes portatives étaient vraiment primitives et il fallut du temps avant qu'elles n'arrivent à supplanter l'arc et l'arbalète[2]. Divers perfectionnements furent amenés au XVe et au XVIe siècles. Cent ans plus tard, les armes à feu remplacent partout les armes à jet. Ce n'est toutefois pas avant le début du XIXe siècle qu'on en vient à disposer d'une arme efficace, grâce à l'amorce à percussion inventée par Forsyth en 1808[3], au canon rayé et avec chargement par la culasse, de même que par l'invention, aux États-Unis, de l'arme à répétition[4].

Au Québec, la première référence que nous ayons trouvée jusqu'à maintenant au sujet du tir consiste en une annonce publiée dans *La Minerve* de Montréal, le 22 décembre 1834. Un certain L.C. Provandier informe le public qu'il offre aux amateurs «l'exercice du TIR AUX DINDES» à l'occasion de la fête de Noël et du Jour de l'an. Pour huit sols, il est permis de tirer sur des dindes à une distance de 25 perches. L'exercice a lieu au Pavillon des courses de Saint-Pierre où les gens peuvent aussi s'adonner aux «jeux de boule et de quille[5]». J. Spalding organise un divertissement semblable en 1836[6]. Il ne nous est pas possible, compte tenu de la documentation actuellement disponible, de savoir qui s'adonnait à cet amusement.

Tir aux dindes

Le Soussigné a l'honneur d'informer le public que l'établissement qu'il a formé au Pavillon sera ouvert pendant tout l'hiver.

Pour divertir le public il offrira aux amateurs l'exercice du TIR AUX DINDES. Le premier Jour du Tir sera la Jour de Noël et ce jour-là l'exercice aura lieu au Pavillon des courses de St. Pierre. Le lendemain le Tir aura lieu à Mile-End. Le premier Jour de l'An le Tir aura lieu encore au Pavillon et le 2 janvier à Mile-End.

La distance pour le Tir avec des carabines sera de 25 perches et avec fusils ordinaires 20 perches.

Le prix de chaque coup sera de 8 sols.

Les Jeux de boule et de quille au Pavillon et à Mile-End seront pendant toute la saison en bon ordre et bien chauffés, et les amateurs seront servis avec promptitude.

L. C. Provandier

«Tir aux Dindes». *La Minerve,* 29 décembre 1834, p. 3.

La double rébellion de 1837-1838 accentua la pratique du tir à la carabine. Toutefois, les cibles ne sont plus d'inoffensives dindes, mais des patriotes canadiens un peu trop agités au goût des dirigeants anglais.

Le *Herald* publie une annonce anonyme invitant «les membres de la Légion Bretonne et du Doric Club qui s'estiment bons tireurs» à abattre un personnage en plâtre figurant certain grand «Agitateur» qui tiendra lieu de blanc à cinquante verges de distance.

La Minerve réagit énergiquement face à «cette annonce disgracieuse et bien propre à discréditer le journal assez vil pour la publier». Le rédacteur de *La Minerve* se demande qui peut «ainsi afficher ou nourrir une haine féroce et sanguinaire. Trop lâches pour appeler leur homme sur le champ d'honneur, ils voudraient l'attaquer en assassins[7]».

Cette invitation au meurtre, camouflée sous un concours de «tir à la carabine», se produit dans le contexte politique troublé de la rébellion. Entre 1830 et 1840, la situation politique est très tendue; il est impossible d'organiser des concours de tir sans risquer de provoquer des escarmouches. En effet, l'on sait qu'à l'occasion des courses de chevaux, les affrontements entre Canadiens et militaires anglais sont fréquents. Le spectacle dégénère souvent en bagarre générale et il survient même des meurtres[8].

Après l'échec de la révolte des patriotes, il faut attendre les années 1860 pour voir s'organiser des concours de tir à la carabine par des militaires anglais dans le cadre de leur bataillon. L'armée organise aussi des associations de tir dans plusieurs comtés du Québec et les concours se tiennent plus régulièrement.

Toutefois, la participation des Canadiens français à ces concours reste très faible, trop faible selon certains. À la suite d'un concours tenu en novembre 1861, *Le Canadien* explique pourquoi «la joute à la carabine (...) n'a pas excité parmi nos gens tout l'intérêt qu'elle méritait». D'abord «pas un journal français n'a été mis à même de donner son appui, de faire connaître les règlements». Deuxièmement, les tireurs canadiens-français «n'ayant jamais mis la main sur une autre arme que leur fusil de chasse, ils ne savaient pas comment se comportaient ces carabines de précision qu'on allait leur présenter, au moment de tirer». Les francs-

La cause de la défense nationale

L es listes de souscriptions pour la partie de tir à la carabine qui doit avoir lieu le mois prochain, offrent à nos concitoyens un moyen de contribuer au mouvement volontaire qui se propage dans notre pays, et ainsi à la cause de la défense nationale. Il est de la plus haute importance d'encourager cet exercice, de le rendre familier à toute la population; à mesure que le goût pour les armes augmentera, les volontaires deviendront plus nombreux, ils considéreront comme plus légers les quelques sacrifices nécessités par l'accomplissement de leurs devoirs, et leurs progrès seront incomparablement plus rapides.

Qu'on voie aujourd'hui la Suisse: sa position et sa conduite méritent d'être imitées.

Dans ce pays, l'exercice de la carabine est un métier pour un grand nombre qui s'occupent spécialement de chasse, et un amusement pour tous. Dans toutes les réunions solennelles, dans toutes les réjouissances nationales, le tir de la carabine forme toujours une importante partie de la fête. Le gouvernement, les villes et les citoyens décernent des récompenses aux vainqueurs.

Et quel est le résultat de cette conduite? À l'heure du danger, la Suisse, qui n'a pourtant pas d'armée régulière, réunit facilement sous son drapeau national 400 000 hommes bien disciplinés, animés du meilleur esprit, maniant parfaitement la carabine, et disposés à faire le coup de feu contre l'ennemi avec autant de sûreté et de justesse dans le coup d'oeil que contre l'ours et le chamois de la montagne.

Il est de la plus haute importance d'encourager le mouvement volontaire dans notre pays, et le moyen dont nous parlons doit y contribuer pour beaucoup.

Un essai va être tenté dans quelques semaines; le succès dépendra en grande partie des citoyens, par l'importance qu'ils y attacheront, et qui se traduira par les prix qu'ils jugeront à propos d'accorder. Si le succès couronne cette première tentative, qui empêchera de la répéter dans toutes les campagnes, par tout le pays? Rien sans doute, et nous ne doutons pas que cette opinion ne soit partagée par ceux qui ont à cœur de mettre notre pays sur un pied de défense sérieuse.

(Les listes de...). *La Minerve*, 29 août 1863, p. 3.

Concours provincial de tir
Ce concours de tir pour le titre «The Dominion Provincial Cup»
s'est tenu à Montréal en 1870. Comme cette illustration en témoigne, le tir à la carabine est pratiqué, à très forte majorité, par des
militaires anglophones durant tout le XIXe siècle.
«The Dominion Provincial Cup». *Canadian Illustrated News*,
August 20, 1870, p. 120.

tireurs canadiens-français n'iraient pas compromettre leur réputation avec une arme qu'ils ne connaissaient pas. Troisièmement, le rédacteur du *Canadien* trouve injuste «d'accuser de lésinerie des personnes qui, vivant presque au jour le jour du produit de leur travail, hésitent à sacrifier 1$» pour payer le prix de l'inscription à ces concours[9].

En 1868, des anglophones, surtout des militaires, forment la Dominion Rifle Association sur le modèle de la National Rifle Association of England. Cette association va donner une impulsion sans précédent au tir à la carabine et les tireurs canadiens-anglais vont devenir des concurrents sérieux lors des grandes compétitions de tir de Wimbledon. Vers la même date, des Canadiens français forment, dans le cadre de l'armée, des associations de tir dans les villes et les comtés[10]. Ces mouvements, même s'ils sont composés exclusivement de Canadiens français, sont sous l'autorité de militaires anglophones et suivent intégralement le modèle militaire britannique.

À la fin des années 1870, des civils forment des clubs de tir à la carabine en dehors des cadres militaires[11]. Les concours de tir aux pigeons qu'ils organisent prennent une allure plus sportive. Cependant, le massacre d'inoffensifs pigeons est très contesté. Il est même question que le Parlement adopte une loi «prohibant ces tueries», mais les organisateurs de ces concours de tir aux pigeons font valoir «qu'il valait autant tirer un pigeon avec une balle, que lui couper le cou[12]». Face à une telle logique, ce projet de loi n'a pas franchi l'étape de la seconde lecture.

Jusqu'à la fin du siècle, des pigeons vivants sont utilisés comme cible[13], mais on commence aussi à tirer sur des pigeons d'argile dès les années 1880. En 1899, à Sherbrooke, lors d'un concours de tir auquel participent plus de cinquante des meilleurs tireurs représentant des clubs des États-Unis, de Winnipeg, Toronto, Montréal, Québec, Saint-Hyacinthe et Sherbrooke, seuls les pigeons d'argile sont utilisés[14].

En 1901, le gouvernement procède à une réorganisation des concours de tir et le ministre de la Milice et de la Défense est chargé de l'application des règlements concernant les associations de tir[15] en vertu de l'Acte de la Milice[16]. Par ce règlement, tous les clubs, ou associations, sont regroupés au sein de l'Association

L'école militaire de Montréal
Ce dessin montre l'aspect de l'école militaire de Montréal après l'ef-
fondrement du toit, dans la soirée du 23 janvier 1872. Cette école
possédait une salle d'exercice pour le tir à la carabine.
«Military School». *L'Opinion publique,* 8 février 1872, p. 65.

de tir de la province de Québec qui organise immédiatement un grand concours au nouveau champ de tir aménagé à Pointe-aux-Trembles, à l'est de Montréal[17]. Au total, cent sept militaires participent à ce concours dont un seul est Canadien français, L. Godin, 1er P.W.F.

Il ne faut donc pas s'étonner si les représentants du Canada lors des concours internationaux, notamment ceux de Bisley[18] et de Wimbledon[19], sont exclusivement des militaires anglophones[20].

Durant tout le XIXe siècle, le tir à la carabine demeure la chasse gardée des militaires dont les buts n'ont rien à voir avec le sport. L'objectif principal de ces concours de tir vise l'entraînement militaire et non la performance sportive. Si le tir à la carabine est pratiqué par un nombre très réduit de Canadiens français, c'est que ce sport n'a pas pu, ou su, s'affranchir du cadre militaire qu'ils considéraient trop asservissant.

Le règlement de 1901 oblige chaque personne qui est acceptée comme membre d'une association de tir à «prêter et signer par-devant un juge de paix le serment d'allégeance (...) à Sa Majesté, ses héritiers et successeurs». De plus, «dans le cas d'urgence nationale, toute personne qui est ou a été dûment enrôlée dans une association de tir en Canada, sera réputée déjà enrôlée dans la Milice de Réserve du Canada[21]. Devenir membre d'une association de tir, c'était du même coup s'enrôler dans la milice. Ces dispositions réglementaires expliquent l'absence de Canadiens français dans les concours de tir car ils n'ont jamais brûlé de conviction pour le serment d'allégeance, ni pour l'entraînement militaire et encore moins pour participer aux guerres des autres.

L'équipe canadienne à Wimbledon
Sous l'autorité de l'armée, le tir à la carabine se développe rapidement à partir des années 1870. L'équipe canadienne, composée
exclusivement de militaires anglophones, participe avec succès
aux concours internationaux de Bisley et de Wimbledon.
«The Canadian Team at Wimbledon». *Canadian Illustrated News*,
August 17, 1872, p. 104.

Règles de pratique

L E FEU sera conduit strictement d'après les règles suivantes; tout membre de la force qui enfreindra, avec connaissance de cause, quelqu'une de ces règles sera privé de l'usage du terrain, et l'officier et le sergent qui auront en charge le terrain, seront strictement responsables de l'exécution des dits règlements.

Règle No 1 – Aucun feu à des buts contigus ne sera permis simultanément à plus d'une distance d'intervalle c'est-à-dire, si le feu est tiré au but 1 la plus grande distance au but 2 doit être de 400 verges, et ainsi de suite.

Règle No 2 – Il n'est permis à aucune personne de traverser les lignes du feu, à moins d'être accompagnée par un pavillon de danger, qui devra être déployé et auquel répondront tous les buts; le feu arrêtera alors jusqu'à ce que l'on ait passé.

Règle No 3 – Tous les signaux et systèmes de charger et tirer devront être strictement conduits selon les règles pour tirer telles qu'adoptées dans le service de S.M., à l'exception que les positions pour tirer pourront être comme on le désire. Toute charge devra être conduite par mot de commandement. Le sergent qui aura en charge le piquet devra voir à ce que les armes soient maniées de manière à empêcher tout accident.

Règle N° 4 – Il ne sera permis à aucune personne, excepté celles qui y seront autorisées, à rester en dedans des buts, sous aucun prétexte, le marqueur est autorisé à les faire arrêter et remettre entre les mains des autorités civiles.

Règle N° 5 – Les personnes qui iront sur le terrain pour pratiquer devront joindre l'un ou l'autre des détachements. Pas plus de douze hommes formeront un détachement et pas plus de dix rondes par homme de détachement, devront être tirées dans aucun temps, si les personnes attendent pour tirer.

Règle N° 6 – Il ne sera permis qu'aux membres de la force volontaire et de la milice sédentaire de pratiquer sur les buts des carabiniers.

Règle N° 7 – Les volontaires qui auraient besoin de cartouches pour exercices devront s'adresser à leurs officiers commandants respectifs.

Par ordre,

JOHN MACPHERSON,
Major de Brigade,
Secrétaire

«Règles de pratique». *La Minerve*, 5 septembre 1863, p. 3.

NOTES

1. DELUMEAU, Jean. *Civilisation de la Renaissance*. Paris, Arthaud, 1967, p. 214.

2. C'est Henri III, en 1346 lors de la bataille de Crécy, qui utilisa le premier les armes à feu sur un champ de bataille.

3. BEAUDET, Denis. «L'histoire fascinante des armes à poudre noire». *Québec Chasse et Pêche*. Vol. 7, n° 7 (avril 1978), pp. 136-144.

4. AILLERET, Charles. *Histoire de l'armement*. Paris, Presses universitaires de France, 1948, p. 18 (Coll.: Que sais-je? n° 301).

5. «Tir aux Dindes». *La Minerve*, 29 décembre 1834 p. 3.

6. «Mile End Hotel. Tir Aux Dindes». *La Minerve*, 29 décembre 1836, p. 3.

7. «Tire à la carabine». *La Minerve*, 8 mai 1837, p. 2. L'agitateur en question pourrait bien être Louis-Joseph Papineau dont la tête sera mise à prix par le gouverneur en chef des deux Canadas, le comte de Gosford.

8. Voir à ce sujet *Le sport et la société canadienne au XIXe siècle*. Groupe de recherche sur l'histoire de l'activité physique. Université Laval, 1977, 105 p.

9. «Tir à la carabine». *Le Canadien*, 25 novembre 1861, p. 2.

10. «Tir à la cible». *Le Canadien*, 28 septembre 1868, p. 2. «Cinquième concours de l'Association des carabiniers du comté de Québec». *Le Canadien*, 3 novembre 1873, p. 2. «Association de tir du comté de Champlain». *Le Journal des Trois-Rivières*, 15 septembre 1881.

11. «Nouveau Club de Tir». *Le Canadien*, 17 août 1878, p. 2.

12. «Concours de tir». *La Presse*, 8 mai 1886, p. 4. Quatre mille pigeons ont été achetés pour le concours tenu à Ottawa, le 24 juin 1886.

13. «Tir aux pigeons». *Le Courrier de Saint-Hyacinthe*, 10 juillet 1886. «Tir aux pigeons». *Le Courrier de Saint-Hyacinthe*, 19 août 1893.

14. «Tir à Sherbrooke». *Le Courrier de Saint-Hyacinthe*, 8 juillet 1899.

15. Pour organiser des clubs de tir». *La Patrie*, 15 juin 1901, p. 3.

16. Acte de la Milice, 46 Vict. chap. II, art. 6.

17. «Le champ de tir de la Pointe aux Trembles». *La Patrie*, 16 août 1901, p. 2.

18. «À Bisley». *Le Soleil*, 18 juillet 1900. p. 3.

19. «Le Concours de Tir à Wimbledon». *Le Canadien*, 19 juillet 1881, p. 2. (Le marquis de Lorne...). *Le Canadien*, 18 juillet 1884, p. 1.

20. «Tir à la cible». *Le Soleil*, 18 juillet 1900, p. 3.

21. «Pour organiser des clubs de tir». *La Patrie*, 15 juin 1901, p. 3, art. 9.

Table des documents

Table des illustrations

LES RÉGATES

LE TIR À LA CARABINE

Table des matières

CET OUVRAGE
COMPOSÉ EN SOUVENIR CORPS 11 SUR 13
A ÉTÉ ACHEVÉ D'IMPRIMER
LE VINGT ET UN OCTOBRE MIL NEUF CENT QUATRE-VINGT-SEPT
PAR LES TRAVAILLEUSES ET TRAVAILLEURS DES PRESSES
DES ATELIERS GRAPHIQUES MARC VEILLEUX
À CAP-SAINT-IGNACE
POUR LE COMPTE DE
VLB ÉDITEUR.

IMPRIMÉ AU QUÉBEC (CANADA)